Heroes In
My Life

Kotaro Furuichi

Heroes In My Life

INTRODUCTION
はじめに

―――――――――――

基本的に、俺はすべての音楽作品に対して"憧れ"を持っている。
若い世代のミュージシャンが作る作品に対しても同じで、
リリースされた年代やアーティストの年齢などはまったく関係ない。
だから、この本に載っているレコード作品というのは、
すべて俺にとっての"ヒーロー"なんだ。

古市コータロー

CONTENTS
目次

ROOTS

ルーツを紐解く

- ・キャロルと矢沢永吉
- ・パンクとエレキ・ギター
- ・日本のギター・ヒーローたち
- ・モッズと60年代への憧憬
- ・ザ・コレクターズとネオGS

Heroes In
My Life

Unraveling the roots of
Kotaro Furuichi

01

CAROL & E.YAZAWA

キャロルと矢沢永吉

　自分の音楽の原点として重要な存在——それが矢沢永吉とキャロルだ。キャロルを初めて聴いたのは14歳の頃、バンドが解散してから3年後の1978年のことだった。最初はソロ・アーティストとして活動していた永ちゃんのことを好きになり、その永ちゃんが在籍していたグループという理由でキャロルを聴き始めたんだ。キャロルは、自分が世界で一番カッコ良いと思っているバンド。奇跡の4人だと思う。

**自分にとって矢沢永吉は
圧倒的に"リアル"な存在だった**

　永ちゃんの魅力は、音楽が好きなのはもちろん、自分にとってものすごく"リアル"な存在だったことが大きい。自分と同じ日本人だし、同じ国に暮らして、自分にもわかる日本語で歌っていたからね。そこが海外のアーティストとは違って、圧倒的にリアルだったんだ。俺も78年に出版された永ちゃんの自伝『成りあがり』を読んで、大きな影響を受けた。ちょうど両親を失ったタイミングで出会ったんだけど、書かれている内容が自分に重なるようなところもあって、とても勇気づけられた。この本がなかったら、一体どうなっていたのか考えると怖いね。

スーパー・ライヴ日本武道館 - 矢沢永吉

ゴールドラッシュ
矢沢永吉

ファンキー・モンキー・ベイビー／コーヒー・ショップの女の娘
キャロル

ファンキー・モンキー・ベイビー
キャロル

ファンキー・モンキー・ベイビー
キャロル

やっぱり永ちゃんは
自分の中でずっと大切な存在だよ

永ちゃんのレコードは、お金があれば無条件で買っていた。アルバムだと『ゴールドラッシュ』(78年) はよく聴いていたよ。シングル盤の「THIS IS A SONG FOR COCA-COLA」(80年) は、初回プレス盤だけタイトルが「THIS IS SONG FOR COCA-COLA」と"A"がない表記になってるんだ。そして数ある作品の中で、俺にとって一番大切なのが『スーパーライブ日本武道館』(77年)。「最後の約束」で、"武道館、雨漏りしないのでヨロシク"っていうMCは最高。何度もくり返し聴き続けているけど、この作品はすべてが完璧だよ。

永ちゃんのライブを初めて観たのは16歳の時。『THE ROCK CONCERT TOUR '80』の岩手県民会館公演だった。その2ヵ月後に行なわれた北上市民会館のライブも観たんだけど、そっちには警備員として行った。いつも通っていた楽器屋が会場警備のバイトを募集していたので、それに応募して参加したんだけど、ライブ当日は仕事そっちのけでずっとステージを観ていた。最前列の警備だと客席を向いていないといけないから、わざとうしろのほうに行ってさ。ものすごくカッコ良かった。それから現在に至るまで、数え切れないほど永ちゃんのライブを観に行っている。やっぱり永ちゃんは、自分の中でずっと特別な存在だよ。

初めて永ちゃんに会ったのは、99年の武道館ライブの楽屋だった。「Oh! ラヴシック」や「風の中のおまえ」など、永ちゃんの曲で作詞を手掛けているリーダー (加藤ひさし／ザ・コレクターズ) が挨拶に行くというので同行させてもらった。その後、2001年に『ROCK JAPANESE～オイラが一番～』という永ちゃんのトリビュート・ライブをパシフィコ横浜でやった時に本人がサプライズで登場することになり、そこで初めて永ちゃんのバックでギターを弾いた。「黒く塗りつぶせ」と「恋の列車はリバプール発」の2曲をやったんだけど、本番ではあまり緊張することなくス

テージを終えることができた。ただ……リハーサルで永ちゃんに会った時が一番ビビった。歌、立ち振る舞い、そのすべてがものすごくカッコ良かったんだよ。それまでテレビの画面上でしか見たことのなかったシーンが、目の前で展開されていることにクラクラした。よく"スターにはオーラがある"なんて話を聞くけど、あれは本人が出すものではなくて、こちら側が勝手に出しているものだね。もちろん本人にもあるんだけど、こちら側で何倍にも増幅させてしまっているんだよ。あのリハーサルの時の俺は、自分自身で勝手に永ちゃんの放つオーラの周りに、さらに自分でもオーラの膜を重ねていたと感じる。その時にオーラの概念がよくわかった。"あいつ全然オーラがなかった"なんて話があるけど、それは自分がその人に興味がないだけの話。例えばキース・リチャーズのことを知らない人からしてみたら、キースがすぐ隣にいたってオーラを感じないはずだよ。

キャロルを好きになったことで、永ちゃん以外のメンバーのソロ作品も聴くようになった。ちょうど俺がギターをやり始めたタイミングと重なったこともあり、ギタリストであるウッチャン（内海利勝）のソロはよく聴いていた。内海利勝&ザ・シマロンズとしてリリースした『GEMINI PART I』（76年）は、いち早くレゲエを取り入れた音楽性で、すごく本場の雰囲気を感じる1枚。今聴いても、あのグルーヴ感はなかなか出せないと思う。"バンドのギタリスト"って感じだったキャロル時代も好きだけど、ブルースマンな雰囲気を漂わせる近年のウッチャンも渋くてカッコ良いんだよ。

ジョニー大倉さんは、キャロルでサイド・ギターを弾いている姿もカッコ良いんだけど、特に歌声がいいんだ。『JOHNNY WILD』（76年）だけでなく、ジョニーさんのソロ作品はほとんど持ってる。そう考えると、やっぱり俺はキャロルが好きなんだね。

キャロルを好きになったことで
メンバーのソロ作品も聴くようになった

時間よ止まれ／チャイナタウン
矢沢永吉

I say Good-bye, So Good-bye ／
天使たちの場所 - 矢沢永吉

YES MY LOVE ／ YOKOHAMA FOGGY NIGHT
矢沢永吉

LAHAINA ／ SEPTEMBER MOON
矢沢永吉

涙のラブレター／レイニー・ウェイ
矢沢永吉

ひき潮／写真の二人
矢沢永吉

黒く塗りつぶせ／せめて今夜は
矢沢永吉

You ／ Shampoo
矢沢永吉

抱かれたい、もう一度 -LOVE THAT WAS LOST- ／
The Ride - 矢沢永吉

THIS IS A SONG FOR COCA-COLA ／ RUN & RUN
矢沢永吉

THIS IS SONG FOR COCA-COLA ／ RUN & RUN
矢沢永吉

JOHNNY WILD
ジョニー大倉

GEMINI PART I
内海利勝&ザ・シマロンズ

GEMINI PART II
内海利勝

陀打 – DaDa –
内海利勝

02

PUNK ROCK & ELECTRIC GUITAR

パンクと エレキ・ギター

所有するレコードの中で一番古いのが、セックス・ピストルズの『勝手にしやがれ』(原題:『Never Mind the Bollocks, Here's the Sex Pistols』／77年)。これまでにも数年に一度の周期で一定数のレコードを手放しているんだけど……これだけはどうしても売れなかった。

実は俺がエレキ・ギターを手に入れるきっかけになったのが、ピストルズなんだ。このアルバムを買ったのは、たしか1977年の秋か冬なんだけど、それまでエレキ・ギターという楽器は自分にとって単に"憧れるだけ"の遠い存在だった。当時は世の中的にフュージョン・ブームで、ギタリストにはテクニックが求められているようなムードがあったし、当時の俺の技術ではKISSでさえも簡単に弾けるような感じではなかったからね。だからギターを弾くことに対してちょっと躊躇していたんだ。

でもピストルズを見た瞬間、全部がぶっ飛んだ。いつも行っていた楽器屋で「God Save The Queen」のPVを目にした時、"これは大至急ギターを始めないとダメだ!"って気持ちが心の底から湧き上がってきたんだよ。それまで高尚なものに見えていたエレキ・ギターをものすごく身近な存在に感じさせてくれたのが、セックス・ピストルズだったんだ。

Never Mind the Bollocks, Here's the Sex Pistols - **Sex Pistols**

　そのあとすぐ
にお茶の水の楽器屋に行って、グレコのSGタイプを手に入れた。SS-500というモデルで、たしか5万円だったのを少し安くしてくれたと思う。その時、ギターと一緒にグヤトーンのアンプも2万円で買った。家にエレキ・ギターがある光景っていうのは……悪くなかったね。自分の部屋にギターがあるというだけで、すごくうれしかった。

俺の愛するギターたち

　グレコのSS-500は、俺が初めて手に入れたエレキ・ギター。1978年の1月にお茶の水の楽器屋で買った。当時は、ピストルズやダムドといったパンク・バンドの曲を練習していた。今思えば、最初に手にしたギターがSGタイプで良かったと思っている。ザ・フーのピート・タウンゼントやダムドのブライアン・ジェイムスもSGを

自分の部屋にエレキ・ギターがあるだけで
すごくうれしかった

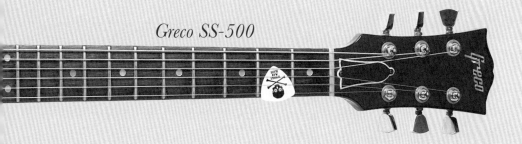

Greco SS-500

使っていたからね。抱えた時にヘッドが少し落ちるけど、軽くて弾きやすいから好きなんだ。このギターは、コレクターズの「太陽はひとりぼっち」とか、初期作品のレコーディングでも使ったよ。

　ここ最近は、自宅でグレコのEG-1200ばかり弾いてる。ボディには"バイオリン・フィニッシュ"という独特な塗装が施されていて、見た目が本当にカッコ良くて好きなんだ。70年代後半に短期間のみ製造されていたんだけど、当時は欲しくても10万円以上したから買えなくて……で

も、諦められなかったからずっと探していたんだ。それから何十年も経ち、俺が50歳になった時のこと。友人がeBayでこのEG-1200を見つけて、逆輸入してくれたんだよ。手元に届いた時は本当にうれしかった。

　初めて買ったリッケンバッカーは330。俺が20歳になった84年、モッズ・バンドに興味が湧いてきた頃に手に入れた。ザ・ジャムのポール・ウェラーをリアルタイムで見ていたから、「モッズ・バンドをやるなら、使うギターはリッケンバッ

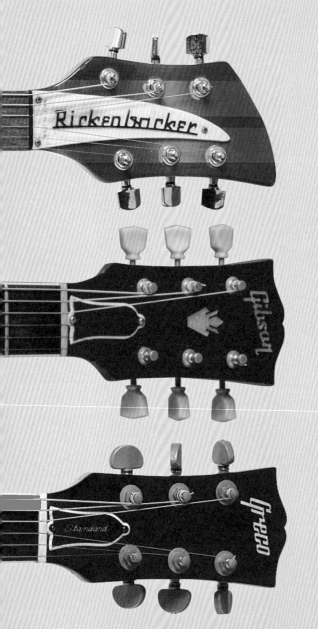

カーしかない」と思っていた。このギターは、コレクターズがデビュー前にレコーディングした初期作品と3rdアルバム『ぼくを苦悩させるさまざまな怪物たち』（89年）などで使っている。ただリッケンバッカーは扱いが超絶難しい特殊なギターなんだよ。チューニングは合わないし、弾く場所によってはピッチを合わせるために強く押弦してシャープ気味に音を鳴らす必要があったりと……いろいろと面倒なことも多かった。でも、そういうモデルを弾きこなす楽しさもあったし、手がかかるぶん、"かわいさ"を感じていたことも事実だね。なので、今もメインで使い続けているギブソンのES-335を手にした時には、あまりの弾きやすさに感動したよ。

　振り返ってみると、グレコのSS-500とEG-1200、そしてギブソンのES-335の3本が、俺のギタリスト人生の中でターニング・ポイントとなったギターだと言える。

　その中でも特にES-335は、極端に言うと"ゴール"かな。99年に手に入れてから20年以上弾き続けているけど、もうこれ以上のギターはないよ。今では心からそう思ってる。もしも最初からES-335を使っていたら、今とはまったく違うプレイヤーになっていただろうね。

Rickenbacker 330

*1998 Gibson Histroc Collection
1963 ES-335TD*

Greco EG-1200

03

JAPANESE GUITAR GIANTS

日本の
ギター・ヒーローたち

日本の3大ギタリストを挙げるなら、キャロルのウッチャン、RCサクセションのチャボ(仲井戸"CHABO"麗市)さん、Charさん。この3人は外せないね。あと、鮎川誠さんも入れたいから、"4大ギタリスト"になるのかな。

チャボさんのことは、中学3年の時にNHK FMの『サウンドストリート』で放送されていたRCサクセション特集で知った。これで完全にやられたね。オンエアされたあとに「雨上がりの夜空に」が発売されて、すぐにレコード屋へシングルを買いに走ったことを覚えてる。小川銀次さんのギターに出会ったのもこの番組だね。

仲井戸"CHABO"麗市=ロック・スター

チャボさんのギターは、とにかくリズムがカッコ良い。あとはトータルのムードが独特。いわゆる"ロック・スター"なんだ。そんな人はなかなかいないよ。チャボさんは、俺の中にある理想のギタリスト像そのものなんだ。ボーカリストを立てるために一歩引いて演奏しているんだけど、存在感があってカッコ良い。チャボさんのギターで一番コピーしたのは、『BLUE』(81年)に収録されている「ガ・ガ・ガ・ガ・ガ」とか。ほかにも「ブン・ブン・ブン」に出てくるフレーズを盗ませ

てもらったりした。RCとチャボさんのギターに出会ったことにより、ボーカリストでもドラマーでもベーシストでもなく、俺はギタリストを目指そうって気持ちになったんだ。

衝撃を受けたCharのパフォーマンス

そういえば20歳の時、明治大学の学園祭でやっていたチャボさんとPINK CLOUDの2マン・ライブを観に行ったこともある。その時のライブでは、Charさんがギターの弦を2本くらい切っているのに平然と弾いていて、そのパフォーマンスに大きな衝撃を受けた。そんなCharさんは俺にとって、"天才的にエレキ・ギターが弾けるピンク・レディー"のような存在。というのも、もちろんロック・スターでもあるんだけど、それ以上にテレビ・スターでもあったんだ。当時、テレビの歌番組であんなにもギターを弾きまくる人を見たのも初めてだった。ドリフターズの『8時だヨ!全員集合』にCharさんがゲスト出演した時もギターを弾きまくっていたからね。その姿は本当に衝撃的だった。初めて買ったCharさんのレコードは『THRILL』(78年)。ゴダイゴのメンバーがバック・バンドをやっていた時の作品で、第1回の『24時間テレビ』でゴダイゴと一緒に演奏していた姿を今でも覚えている。あと、Charさんのギターって、俺からしたらまるで弾ける気がしないんだよね。大好きなんだけど再現不可能な人。もちろんコピーしてみたんだけど……バッキングなんかは全然真似できなかった。でも、Charさんの成分は俺の中に確実に入っていると思う。だから俺がギターを弾く時、自分でも知らないところで"俺の中のChar"がギター・プレイに滲み出ているんじゃないかな。

鮎川誠からの影響

鮎川さんを最初に知ったのは、シーナ&ザ・ロケッツの『真空パック』(79年)だった。この作品は、YMOの細野晴臣がプロデュースを手がけていて、坂本龍一や高橋幸宏もレコーディングに参加している作品だったこともあり、ちょっと斜に構えたニューウェイヴ的な匂いを感じていた。当時の鮎川さんのルックスも、ちょっとエルヴィス・コステロみたいだったしね。だからこそ余計に好きになったんだ。『真空パック』はアルバム1枚を丸ごとギターでコピーした。ブリッジ・ミュートとクリーン・トーンの組み合わせが絶妙なんだ。やっぱり俺は、鮎川さんからもかなり大きな影響を受けているよ。

BLUE - RCサクセション

PLEASE
RCサクセション

雨あがりの夜空に／君が僕を知ってる
RCサクセション

The仲井戸麗市BOOK
仲井戸麗市

Char
Char

Char II have a wine
Char

気絶するほど悩ましい／ふるえて眠れ
Char

Free Spirit
Johnny,Louis&Char

THRILL - Char

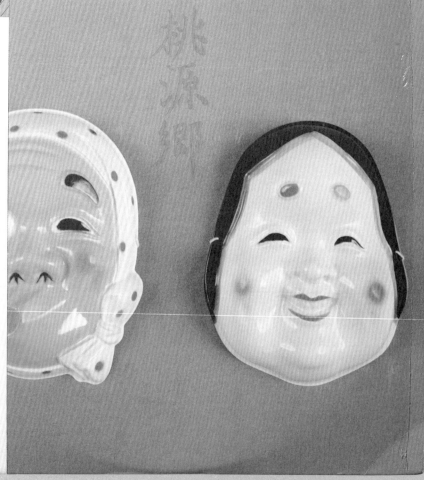

STEREO 30043-28 ¥2,600

CLOUD LAND
PINK CLOUD

30043-28
vap
STEREO

UD LAND　　PINK CLOUD

SIDE A : 平手利得屋来五者(Chokin Down) Sunset Blues　Tired Heart　Because He Knows　She's Sharp　全屋のライヌ(Missin' You)
SIDE B : 茶／肌(Lizard Lunch)　Thank You So　Searchin'　ビンククラウドの秘密(Mar-chan Jam)　Sheep In The Forest　Sweet My Baby

PRODUCED BY
ジョニー、ルイス＆チャー

CLOUD LAND
PINK CLOUD

vap

発売元　株式会社バップ

CLOUD LAND 桃源郷 - PINK CLOUD

真空パック - シーナ&ザ・ロケッツ

Heroes In My Life - ROOTS

04

BACK TO THE 1960's

モッズと
60年代への憧憬

　1970年代後半になると、イギリスでモッズ・ブームが再燃する。いわゆるネオ・モッズ。その代表格が、ポール・ウェラー率いるザ・ジャムだった。

　3rdアルバムの『All Mod Cons』(78年)は、「これぞジャム！」ってことで外せない1枚。『Different』(80年)は、彼らが初めて行なった日本ツアーのライブ音源が収録されたブート盤なんだけど、音がすごく生々しくてカッコ良い。手に入れたのは1984年頃で、たしか新宿西口のレコード屋を巡ってる時に出会ったと思う。ポール・ウェラーは、音楽性やファッションなどにずっと"モッズの匂い"を漂わせている。例えるなら……昔、悪かった人の雰囲気ってなんかわかるじゃない？　それと同じでモッズ同士はわかるんだよね。ポール・ウェラーは、ジャム、スタイル・カウンシル、ソロと表現スタイルは変化していくけど、いつも目の付け所がヒップなんだ。そういう姿勢が好きだね。

ザ・ジャムの姿勢に影響されて
60年代の音楽を研究していった

　それから『Mods Mayday '79』(79年)と『The Cutting...... Edge』(85年)は、ネオ・モッズの

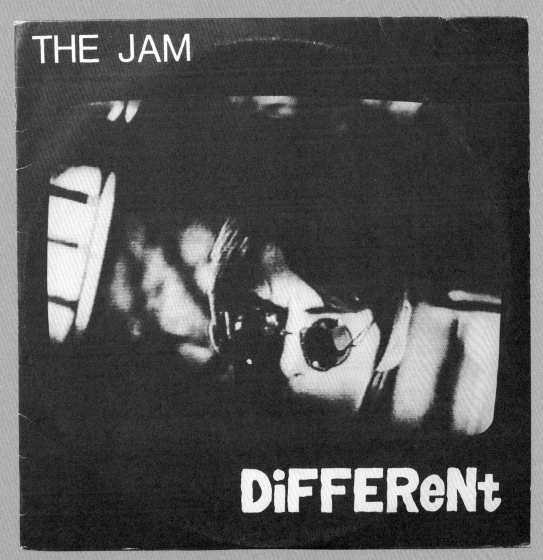

Different - **The Jam**

バンドを集めたコンピ盤。『Mods Mayday '79』は、ジャケットのデザインが当時のネオ・モッズを象徴しているから、個人的には聴いて楽しむというよりは所有しておきたいレコードって感じかな。79年に公開された映画『さらば青春の光』の衝撃も大きかった。この映画で初めて"動くモッズ"を見るわけなんだけど、それまでは写真集でしか目にしたことがなかったから見事にハマったね。

モッズで形成された自分のスタイル

「60年代的な音楽表現をやりたい」というジャムの姿勢に影響されて、俺も60年代の音楽の研究を始めていった。そこでザ・フーやキンクス、スモール・フェイセスを聴くようになり、それまであまり詳しくなかったゼムやヤードバーズといったバンドも好きになっていった。60年代の音楽ということでゾンビーズを聴き始めたのも、同じタイミングだよ。

俺が青春時代を過ごした70年代後半〜80年代というのは、ギタリストが10人いたら10人全員の音が歪んでいるような時代。そんな中で俺は60年代の音楽で鳴っているようなペラペラなクリーン・トーンがカッコ良いと考えていた。ザ・フーやスモール・フェイセス、キンクスを聴いても、軽く歪んだクランチはあるけど、ハードロックが全盛を迎えていた時代の音からしたら全然しょぼいわけ。でも俺は、そこにカッコ良さを見出したんだ。

ザ・フーのピート・タウンゼントに惹かれたのも、さほど歪んでいないギター・サウンドなのにすごく迫力があったから。だから当時の俺がリッケンバッカーを持って出していたギター・サウンドも、ほとんど歪ませていなかった。そういったモッズを通じて形成されたバックボーンから、今に続く自分のスタイルが出来上がっていった気がする。ザ・フーはモッズ・バンドとしてスター

**歪んだギター・サウンドが全盛の1970年代後半に
俺はペラペラのクリーン・トーンにカッコ良さを見出したんだ**

All Mod Cons
The Jam

The Bitterest Pill (I Ever Had To Swallow)
The Jam

Love The Reason
V.A.

Money-Go-Round
The Style Council

Café Bleu
The Style Council

My Ever Changing Moods
The Style Council

Have You Ever Had It Blue
The Style Council

Heliocentric
Paul Weller

Fat Pop (Volume 1)
Paul Weller

モッズ・スーツは「まだスーツを着る年じゃねえよ」って
年頃に背伸びして着るのが一番カッコいいんだよ

トして、そこから音楽性を変化させながら進化していった。モッズ・バンドとしてのフーは、3rdアルバムくらいまでなのかな。なんと言っても1st『My Generation』(65年) が好きだけどね。ただフーはずっと好きで、『Tommy』(69年)とか『Who's Next』(71年)は、大フェイバリットだよ。今のところの最新作『Who』(2019年)も最高だよ。近年のフーは、あまりモッズといった感じではないけど、ロジャー・ダルトリーのソロ作『As Long As I Have You』(2018年)を聴いた時は驚いたね。非常に"モッズ"を感じたんだよ。バンドではなくソロのほうでモッズとしての本気を出してくるんだって感じがして、ちょっとうれしかった。

20歳でモッズに出会ってからの俺は、どんどん"60年代オタク"になっていく。それまでは同時代性がある音楽ばかりを追いかけていたんだけど、それをやめたんだ。当時の俺は音楽やファッションだけでなく、雑誌や建物、喫茶店に

いたるまで60年代のものすべてに興味があった。

60年代のモッズ・ファッションにもハマった。でも、今と違ってモノが簡単には手に入らないから大変だった。フレッドペリーのポロシャツを1枚探すだけでも、東京中を探し回らなければならなかったんだ。どの街にも古着屋があるわけではないから、本当に大変だった。

モッズ・スーツに関しては、「お前、まだスーツなんか着る年じゃねえよ」ってくらいの年頃に着るのが一番カッコ良いと思っている。背伸びしたいヤツが着てこそキマるアイテムだね。そんなふうに考えていたから、30代に入った時にはダブルのスーツを仕立ててみたり、いろんなことを試してみた。

この本で紹介しているモッズ・スーツ (P28)を仕立てたのは40代に入ってから。型紙は25歳の時に作ったものと同じなんだけど、やっぱり着ると身も心も引き締まるね。

MUSIC FROM THE SOUNDTRACK OF THE WHO FILM   QUADROPHENIA   ⓓⓓ MPZ 8127/8-STEREO

Quadrophenia - V.A.

The Cutting......Edge
V.A.

There Are But Three...
Small Faces

Mods Mayday '79
V.A.

Odessey and Oracle
The Zombies

Everybody's in Show-Biz - **The Kinks**

The Relay / Waspman - **The Who**

Heroes In My Life - ROOTS

My Generation
The Who

Magic Bus
The Who

The Story Of The Who
The Who

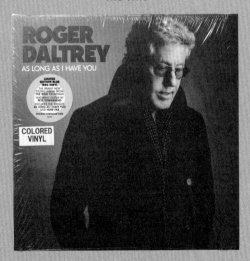

As Long As I Have You
Roger Daltrey

05

NEO GS MOVE-MENT

ザ・コレクターズとネオGS

1980年代後半の日本では"ネオGS"というムーブメントがあって、その中でザ・コレクターズ、ザ・ファントムギフト、ザ・ストライクスが"3大ネオGSバンド"なんて呼ばれていた。このネオGSムーブメントがなかったら、俺たちはデビューしていなかったと思う。

60年代の日本を愛する奴らの溜まり場だったネオGSシーン

ネオGSシーンは、60年代の日本を愛する奴らの溜まり場だった。逆に当時のモッズ・シーンの中で、GSについて話す奴は誰もいなかった。俺はGSもモッズもどちらも好きだったから、何の抵抗もなかったけど、「なんでモッズがGSと同じくくりに入れられているんだ」って思っていたヤツもいたかもしれない。でも当時の俺はモッズ・バンドをやっていたけど、ネオGSムーブメントに関しては、むしろ"デビューのチャンス"みたいな感じでとらえていたかな。

ネオGSのシーンでは、まだネオGSって言葉のなかった85年にファントムギフトの「ジェニーは嘘つき」が発売されて注目を集めた。それがじわじわと盛り上がり、やがて"60年代的な音楽"をやってる連中を総称してネオGSと呼ばれ

るようになった。それが大きなムーブメントに
なっていったという感じだね。俺がコレクター
ズに入ったのが86年で、翌87年に『僕はコレク
ター』でデビューするんだけど、世の中的にもちょ
うどレトロ・ブームだったからうまくハマったん
だ。当時はバンド・ブーム前夜というタイミング
でさ、俺たちやJUN SKY WALKER(S)、カブキ
ロックスの前身バンドのひとつであるヒステリッ
ク・グラマーなんかは、竹の子族やローラー族が
いた原宿の歩行者天国でライブをやっていたの
を覚えている。

　ザ・コレクターズの最初の録音は、ネオGS
のコンピレーション・アルバム『Attack of…
Mushroom People!』(87年)に収録された
「COLLECTOR」だった。そのあとにインディー
ズ盤の『ようこそお花畑とマッシュルーム王国へ』
(87年)をリリースするんだけど、初回プレスが
あっという間に売り切れたんだ。すごくうれし
かったな。

　そういえばメジャー1stアルバムの『僕はコレ
クター』が発売された時、レコード屋でインスト
ア・ライブをやったんだけど、そこにマーシー(真
島昌利)が観に来てくれたんだよ。イベントのた
めに来たのか、単にレコードを買いに来たのか
わからないけど(笑)。で、イベントのあとにうち

ジェニーは嘘つき／ベラドンナの伝説
ザ・ファントムギフト

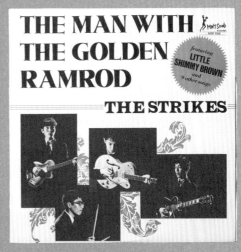

The Man With The Golden Ramrod
ザ・ストライクス

恋はヒートウェーヴ
ザ・コレクターズ

Across The Meiji Street
ザ・コレクターズ

のリーダーとマーシーと一緒に下北沢に移動して
さ、そこで（甲本）ヒロトくんと合流して今はなき
“蜂屋”って中華屋でカツ丼を食ったのを覚えて
いる。

バンドを精神的な拠り所にすると
長くは続かない

　ザ・コレクターズのソノシート「ACROSS THE
MEIJI STREET」（90年）は、新宿の日清パワー
ステーションで3デイズ・ライブをやった時に、3

日間すべてのライブを観に来た人にプレゼント
したもの。「恋はヒートウェーヴ」（89年）も、同じく
ライブの付録として無料配布した1曲入りのソノ
シート。「恋はヒートウェーヴ」は、今でもライブの
アンコールで演奏したりしているけど、この曲を
レコーディングした時のことは全然覚えてない
な。

　俺がザ・コレクターズというバンドを一言で表
わすとしたら……極端に言うと会社みたいなも
のかな。どこかのタイミングから“職場”という意
識でやらないと継続していけないと考えるように

ピンチの時は
地道で現実的なことを
積み上げていくしかない

Attack of... Mushroom People!
V.A.

したんだと思う。こういう言い方をすると誤解されるかもしれないけど、バンドを精神的な拠り所にすると長くは続かないよ。でも会社だと「潰すわけにはいかないぞ」って気持ちになる。まあ、40年近くバンドをやっていたら、俺がバンドを会社だと思っていても「情熱がないね」とはならないでしょ。

　もちろんこれまでにピンチは何度もあった。所属事務所が潰れたりもしているしね。でも、そのたびに乗り越えてきた。ピンチの時ってさ、もちろんハートが強くないといけないけど、なに

より大切なのは営業力だったりするのよ。「いかにして金になるライブをブッキングできるか?」──現実的には、まずそこだね。各所に電話しまくって、1万円でもギャラの高いライブを取ってくる。どこかの県までライブをやるために遠征するんだったら、その前後に何箇所か公演を追加する、とかさ。

　そういう地道で現実的なことを、少しずつ積み上げてやっていくしかない。口ではカッコ良いことをあーだこーだと言ったって、浪花節じゃピンチは乗り越えられないんだよ。

OVERSEA

海外名盤

- ・ビートルズとローリング・ストーンズ
- ・伝説のロック・ギタリストたち
- ・ロック＆ポップス
- ・ブルース＆ジャズ
- ・シンガー／ソングライター
- ・ソウルとディスコ
- ・AOR

Heroes In
My Life

Unraveling the roots of
Kotaro Furuichi

06

THE BEATLES & ROLLING STONES

ビートルズと ローリング・ストーンズ

ビートルズとローリング・ストーンズは、自分の中では別格。特にビートルズは、ひとりのリスナーとして音楽に興味を持つ入口となった存在なんだ。小学生の頃から今までずっと聴き続けている。まさか2023年に両者の新作が聴けるなんて思いもよらなかったよ。

小学5年の時、初めて洋楽のレコードを買おうと考えたら自然とビートルズになった。高田馬場のタイムというレコード屋に行って買ったのが、『ステレオ！これがビートルズ Vol.2』（66年）。毎朝、学校へ行く前にこのレコードを聴いていたよ。

ビートルズに比べてストーンズは ちょっと敷居が高かった

メンバーのソロ作品からは、個人的に好きなタイトルを選んでみた。ジョン・レノンの『Walls & Bridges』（74年）は、好きな曲がたくさん入っている作品。ポール・マッカートニー＆ウイングスの『Venus and Mars』（75年）は、バンド感があるし、この作品からメンバーとして加入したジミー・マカロックのギターも良いね。ジョージ・ハリスンのソロだと『All Things Must Pass』（70年）が大好きなんだけど、状態の良いレコードに

ステレオ！ これがビートルズVol.2 - The Beatles

なかなか出会えなくて……実はまだ持ってない
んだ。

　ストーンズを聴き始めるのは中学校に入って
から。ビートルズは、ロックだけでなくポップスと
しても機能していたので小学生でも手が出しや
すかったんだけど、ストーンズはちょっと敷居が
高かったんだ。

　でも中学2年の時に流行った「Miss You」
（78年）がきっかけで、ストーンズのことをちゃ
んと認識したと思う。ストーンズのレコードはたく
さん持っているんだけど、個人的に一番"らしさ"
を感じるのが『Emotional Rescue』（80年）。
具体的な理由を説明するのは難しいんだけど
……ストーンズじゃないと表現できない独特の
世界観を感じるんだよね。『Some Girls』（78
年）は、アートワークが素晴らしいからぜひ本著
に載せたかった。ストーンズはどのアルバムも
素晴らしいんだけど、一番好きなのは『Beggars
Banquet』（68年）かな。

ロック・スターの条件として重要なのは
その人が持っているムード

　ストーンズのギタリストであるキース・リチャー
ズのソロも好きだよ。1枚目の『Talk Is Cheap』
（88年）も2015年に出た『Crosseyed Heart』
も素晴らしかった。俺の中でキースは、チャボ
さんと同じくロック・スター。言わずもがな、素晴
らしいリズム・ギタリストで、ちゃんと"キースの間
（マ）"みたいな独自のタイム感を持っていると
ころに同じギタリストとしてすごく惹かれる。見
た目も含めてキースは完璧だよ。完全なロック・
スターだね。

　俺の中で"ロック・スター"の条件として重要
なのは、その人が持っているムード。酒を飲ん
で暴れてギターを弾けばロック・スターってわけ
じゃないんだ。例えばエリック・クラプトンはギ
ター・ヒーローだけどロック・スターではないし、

見た目も含めてキースは完璧だよ
完全なロック・スターだね

Come Together ／ Something
The Beatles

The Long And Winding Road ／ For You Blue
The Beatles

Hey Jude
The Beatles

Let It Be ／ You Know My Name (Look Up The Number)
The Beatles

Emotional Rescue
The Rolling Stones

Some Girls
The Rolling Stones

It's All Over Now / Good Times, Bad Times
The Rolling Stones

Andrew's Blues
The Rolling Stones

俺の感覚だけどロック・スターには
"ヤンチャ感"があってほしい
あまりにも良い子ちゃんだと、ステージでカッコつかないからさ

ピート・タウンゼントやミック・ジャガーもそう。ザ・フーのキース・ムーンはロック・スターになる前に惜しくも亡くなってしまった人って感じかな。レッド・ホット・チリ・ペッパーズのジョン・フルシアンテは……ロック・スターと呼ぶにはちょっと惜しいね。

刺激的な変化を続ける
ポール・ウェラーの魅力

では誰がロックスターかと言うと、まずはセックス・ピストルズのスティーヴ・ジョーンズ。ピストルズの楽曲で鳴っている音も素晴らしいし、デュラン・デュランのメンバーだったアンディ・テイラーの『サンダー』(87年)というソロ・アルバムで聴けるギターもめちゃくちゃカッコいいんだ。スティーヴ・ジョーンズは、とても優れたハードロック・ギタリストだと思う。

あとはモーターヘッドのレミー・キルミスター。

彼はキースの次くらいにロック・スターだね。ほかにもザ・クラッシュのジョー・ストラマー、オアシスのリアム・ギャラガー、レッド・ツェッペリンのジミー・ペイジ、ガンズ・アンド・ローゼズのスラッシュ……ビートルズの中だと、ジョージ・ハリスン。ジョージは音楽だけでなくファッション・センスも素晴らしい。

ポール・ウェラーも俺の中ではロック・スター。ジャムの頃から最新作までずっと聴いているけど、飽きない。毎回、表現の手口を変えてくるから、作品によっては自分に合わない時もあるけど、それが刺激的でおもしろいんだ。デヴィッド・ボウイみたいなアーティストだと思う。

ひとつ断っておくけど、あくまでこれは俺の感覚の話だからね。ロック・スターの条件を説明することは難しいけど、ひとつだけ共通して言えることとして、"ヤンチャ感"はあってほしい。あまりにも良い子ちゃんだとステージでカッコつかないからさ。

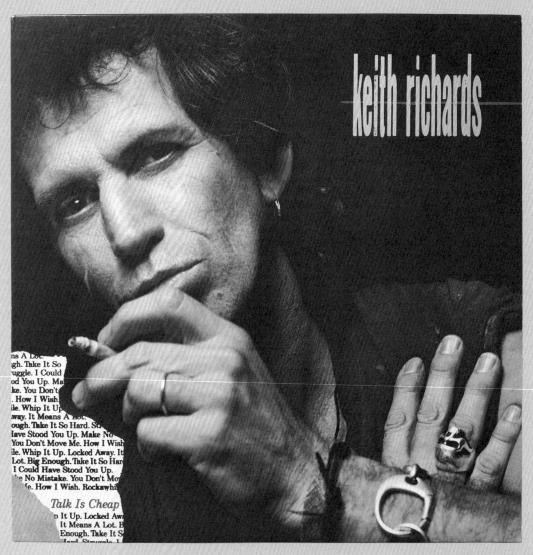

Talk Is Cheap - **Keith Richards**

Venus and Mars
Wings

Walls & Bridges
John Lennon

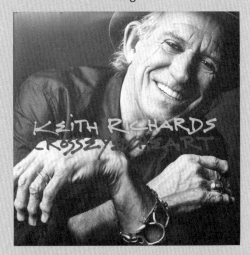

Crosseyed Heart
Keith Richards

07

ROCK LEGENDS

伝説の ロック・ギタリストたち

ロックの3大ギタリストであるエリック・クラプトン、ジミー・ペイジ、ジェフ・ベック。昔だとリッチー・ブラックモアが入っていたりもしたけど、今は完全に外れてしまった感があるね。俺の世代だと、ロックといえばディープ・パープルとレッド・ツェッペリン。特にパープルの『Machine Head』(72年)はマストで聴いておかないとダメという時代だった。個人的には、第2期の作品が好きだね。なので第3期にあたる「紫の炎／テイク・ユア・ライフ」(原題:「Burn ／ Might Just Take Your Life」／74年)に関しては、たぶんノリで買ったんじゃないかな。

ジミー・ペイジの創り出す さまざまなアイデアにやられた

レッド・ツェッペリンのジミー・ペイジには、ギタリストとしてものすごく大きな影響を受けている。リフ・メイカーなところはもちろん、リズム・ギターやソロのフレーズなど、彼の創り出すさまざまなアイデアにやられた。特に「Communication Breakdown」や「The Rover」は、リフがカッコ良くて大好きだよ。

音楽的な知識があまりない頃は、単純にハードロックとしてツェッペリンを聴いていた。それ

カッコいい音楽とイケてるファッションを
併せ持つギタリストには無条件で惹かれてしまう

からバンドのことが好きになり、いろんな背景を知っていく中でブルース的なアプローチが垣間見えてくるようになってきた。例えば「You Shook Me」や「Dazed and Confused」のようなブルージィな楽曲を聴くと、今でも心にグッとくるものがある。そういうところにもシビれたね。ツェッペリンのオリジナル・アルバムのレコードはすべて持っているんだけど、個人的に思い入れがあるのは『In Through the Out Door』(79年)。唯一リアルタイムで聴くことができた作品なんだ。『Presence』(76年) は、ジャケットのアートワークが好きだね。

エリック・クラプトンは、ギターだけでなく彼のファッション・センスも好きだった。カッコ良い音楽とイケてるファッションという要素がそろったギタリストには、無条件で惹かれてしまうんだよ。中学生の頃、よく通っていたレコード屋に行くと、『Backless』(78年) が必ず最前列に面出しで置いてあって、その光景が今でも印象に残っている。だから俺の中でクラプトンと聞いて真っ先に思い浮かべるのは、このジャケットなんだよね。

クリームを聴くのはもう少しあとのことで、初めて聴いたのは『Fresh Cream』(66年) だった。楽曲に漂う不気味な雰囲気が妙にカッコ良くてさ。ジャック・ブルースのベースもすごいと思った。『Blues Breakers with Eric Clapton』(66年) は、ギブソン・レス・ポールとマーシャルを組み合わせたロック・サウンドの原点とも言える作品。いつ聴いても、作品で鳴っているギター・サウンドにシビれるよ。極端に言えば、「極上のギター・サウンドを楽しむだけでいい」って思わされる1枚だね。

あとクラプトンからは、ソロ・アーティストとして活動する上での姿勢を学んだ。自分がソロをやる時って、あまり押し付けがましいものにしたくないんだ。クラプトンからは、そんなムードを勝手に感じている。彼の場合、歌モノ曲でのさりげないバッキングも含め、アンサンブルの中で

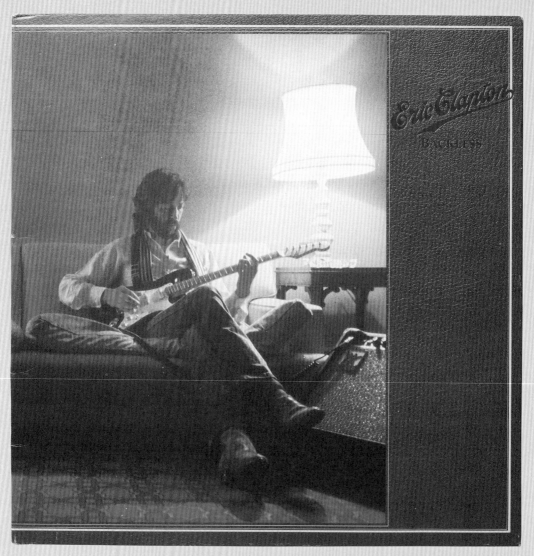

Backless - Eric Clapton

Heroes In My Life - OVERSEA

のギターの使い方が実にスマートなんだよね。ちゃんと"歌う人のギター"ってことを感じられるんだ。おそらくクラプトン自身が思い描く理想のブルースマンのイメージがそうだったんじゃないかな。俺もそういう姿勢を大事にしたいと思っているから、クラプトンの表現の仕方やアプローチの仕方は、特に自分がソロで活動する時には意識しているところだね。

別次元の存在＝ジェフ・ベック

　ジェフ・ベックは、誤解を恐れずに言うと、ある意味ジミ・ヘンドリックスよりも素晴らしいギタリストだと思う。ジェフのほうがよっぽど変態だし、トリッキー。しかも本当に上手い。もはやギタリストという枠に収まりきらないくらい特殊だし、すごすぎるプレイヤーだと思う。あとジェフの場合、自分で歌わなかったからこそ、ギタリストとしてあれほどの高みへと到達できたように感じている。

　俺が好きな作品は、ジョージ・マーティンがプロデュースした『Blow By Blow』(75年)。ジェフの表現の方向性がインストゥルメンタルへと向かう過渡期に作られたアルバムで、いいフュージョン感が入ってるんだ。

　ジェフ・ベックは、自分と同じギターという楽器を使ってる人とは思えないんだ。あまりにもすごすぎて、身近な感じがしない。しかも晩年になるにつれて、どんどん"すごみ"が増していったというのが本当に恐ろしいよ。それほどまでにギタリストとしての種類が違うと感じる。

ジミ・ヘンドリックスの真骨頂は
美しいクリーン・トーン

　ちなみにジミヘンのレコードといえば、真っ先に『SMASH HITS』(68年)が頭の中に思い浮かぶ。このレコードもクラプトンの『Backless』と同じで、レコード屋に行くといつも面出しされて飾ってあったんだ。俺としては「Hey Joe」や「Angel」のようなスローで美しいナンバーが好きだね。ギターの美しい旋律にグッとくる。個人的にはファズを使ったサイケデリックなサウンドよりも、ジミヘンのクリーン・トーンが好きなんだよね。

　『Electric Ladyland』(68年)は、古き良き1960年代のロックの匂いを感じる1枚。音楽を聴いて60年代のムードに浸れるという意味では、ヴァニラ・ファッジの1stアルバム『Vanilla Fudge』(67年)も同じだね。

Blues Breakers with Eric Clapton
John Mayall & The Bluesbreakers

Eric Clapton
Eric Clapton

There's One in Every Crowd
Eric Clapton

Live Cream
Cream

Songs for a Tailor
Jack Bruce

Led Zeppelin II
Led Zeppelin

Led Zeppelin III
Led Zeppelin

Presence
Led Zeppelin

In Through the Out Door
Led Zeppelin

Machine Head
Deep Purple

紫の炎／テイク・ユア・ライフ
Deep Purple

Blow by Blow
Jeff Beck

Vanilla Fudge
Vanilla Fudge

Smash Hits - **Jimi Hendrix Experience**

STEREO ⊙ 33⅓
MPX 9955/6

THE JIMI HENDRIX EXPERIENCE ELECTRIC LADYLAND

08

ROCK & POPS

ロック&ポップス

音楽を聴き始めた1970年代に流行っていたロックといえば、KISS、ベイ・シティ・ローラーズ、チープ・トリック。KISSで一番よく聴いたのは『Destroyer』（76年）。邦題が『地獄の軍団』というのも強烈に印象に残っている。ベイ・シティ・ローラーズは、小学6年の時に『おはよう! こどもショー』という朝の番組で、「ビートルズ以来、イギリスで最も人気のあるグループ」って感じで紹介されていた。中学1年の時に『恋のゲーム』（原題:『It's a Game』／77年）というアルバムが出るんだけど、その時にはもう本国での人気は下火になりかけていたんじゃないかな。でも日本ではずっと人気があったし、アイドルだったよ。

バスターは、ベイ・シティ・ローラーズに続く形で世に出てきたアイドル・バンド。当時好きだった「恋はOK」（原題:「Love Rules」／77年）は、たしか熊本のレコード屋で買ったと思う。

ロックがポップになっていった70年代

70年代中期から後期というのは、ロックがポップになっていった時代だと思う。「ロックは金になる」ってことが、多くの人の知るところになったからね。KISSのコンセプトは「ビートルズをハー

SWX-6268

Destroyer - **KISS**

Dynasty
KISS

プレスリー・アルバム第5集
Elvis Presley

ドロック で表現する」みたいな感じなわけで……
こっちも子供だったから、やっぱりKISSが醸し出
す雰囲気は無条件で好きになってしまうよ。

　あと、俺はエース・フレーリーのギターも好き
なんだ。エースのギターを聴くと、ジミー・ペ
イジやエリック・クラプトンの要素を感じる瞬
間が多々あって、特に「Shock Me」のライブ
でのソロ・コーナーなんてレッド・ツェッペリンの
「Heartbreaker」そのものって感じがする。そ
う考えると、改めて古市コータローというギタリス

トは、ギブソン・レス・ポールの音で育ってきたん
だと感じるよ。

　大きな影響を受けたジミー・ペイジも、ギター
を始めるきっかけになったセックス・ピストルズ
のスティーヴ・ジョーンズもレス・ポールだしね。
どこまで行っても俺という人間はギブソン系の
人間なのかな。

　ロックンロールと言えば、エルヴィス・プレス
リーはどうしても聴きたくてたまらなくなる時が
ある。ロックの正しい一面を表現している感じ

On the Beach
Neil Young

After The Gold Rush
Neil Young

がして、素晴らしいんだよ。一番よく聴くのは、やっぱり1st『Elvis Presley』(56年)かな。

　ニール・ヤングは、コレクターズでデビューしたあとにハマった。1990年に放送されていた深夜ドラマ『子供、ほしいね』のエンディングに、『After The Gold Rush』(70年)に収録されている「Only Love Can Break Your Heart」が使われていて、すごくハマっていたんだよね。それでCDを買ったのがきっかけで、いろんな作品を聴くようになった。

ドアーズは夏の夜に沁みる音楽

　ドアーズはいろんな作品を聴いたけど、今では『ハートに火をつけて』(原題:『The Doors』／67年) しか聴かなくなってしまった。「The End」は好きだな。ちょっと重くて暗いムードがあるんだけど、夏に聴くとこれがまたいいのよ。当時の空気を知らない人にも伝わってくる"匂い"がレコードからも放たれている。俺の中では、この『ハートに火をつけて』とストーンズの

ジャケ買いで名盤を探すコツは
いい作品が放つムードを
アートワークから感じ取ること

『Beggars Banquet』(68年) が夏を象徴するアルバムなんだ。特に夏の夜が沁みるんだよ。

ロッド・スチュアートの『Atlantic Crossing』(75年) は、今でもたまに聴きたくなる。あの歌声は本当に魅力的だよ。中学生の時に「アイム・セクシー」(原題:『Da Ya Think I'm Sexy?』/78年) が流行っていたんだけど、俺の周りで聴いている人はあまりいなかった。圧倒的に日本の歌謡シーンが強かったから、みんな歌謡曲を聴いていたね。

レコード・アートワークの重要性

デヴィッド・ボウイは、『Young Americans』(75年) が好きだな。なんと言ってもジャケットのデザインが秀逸だよ。ジャケットがカッコ悪いとさ、音が良くてもイマイチな気持ちになってしまうことがあるんだ。俺の勝手な先入観なんだけどね。そういう点でも、レコードのアートワーク

はとても大切な要素だと思う。

自宅の玄関に飾っている『いとしのレイラ』(原題:『Layla and Other Assorted Love Songs』/70年) やライ・クーダーの『BOP TILL YOU DROP』(79年) のジャケットも好きだよ。カーペンターズの『NOW & THEN』(73年) も、アートワークの良さで選んだ1枚。初めて買った洋楽レコードはビートルズなんだけど、その次がカーペンターズだった。「Yesterday Once More」は、小さい時からよく聴いていたよ。

リア・カンケルの『Leah Kunkel』(79年) もジャケ買いした1枚。デザインがすごくカッコ良いってわけでもないんだけど、目にした時に「これは絶対に名盤だ」という匂いがしたんだよ。実際に買ってみたら、1曲目の「Step Right Up」から最高だった。単純に知っているレコードを買うよりも、たまにはそういう出会いがないと楽しくないから、これはうれしい出会いだったな。このレコードは、天気のいい朝に聴きたくな

いとしのレイラ／デレク・アンド・ドミノス

MW 9067/8

いとしのレイラ
デレク・アンド・ドミノス

★故デュアン・オールマンとクラプトンとの共演!!
現在のクラプトンの出発点となった名作でロック界に永遠に残る作品

★★★★★
庭にのレイラ
イーストテーレイト
小さな羽根
悲しき君の
愛の経験
恋は悲しきもの
テル・ザ・トゥルース
ハイウェイへの関門
エニイデイ
アイ・アム・ユアーズ
たれも知らない
キープ・オン・グルーウィング
ベル・ボトム・ブルース
アイル・クライ・アウェイ
全14曲

MW9067/8
税込 ¥3,500
STEREO

SAL74
SYSTEM
SOUND REVOLUTION
世界初の音の革命

RSO/RSO LIFE

Layla and Other Assorted Love Songs - Derek and The Dominos

In the Court of the Crimson King
King Crimson

The Piper At The Gates Of Dawn
Pink Floyd

Fifth Avenue Band
Fifth Avenue Band

Sometimes Late at Night
Carole Bayer Sager

自分の表現に近い音楽を聴くと
音楽を研究するモードに入ってしまうから
普段やっているジャンルとは違うものを聴きたい

るね。フィフス・アヴェニュー・バンドの1st『The Fifth Avenue Band』(69年) のジャケットも有名だよね。写真のデルモニコスはニューヨークにあるレストランなんだけど、俺の周りでも足を運んだって話はよく耳にする。ジャケ買いで名盤を探すコツは、いい作品が放つムードをアートワークから感じ取れるかどうかが重要だと思うよ。ちなみに俺はジャケ買いで失敗したことは、これまでに1枚もないかな。

キャロル・ベイヤー・セイガーの『Sometimes Late at Night』(81年) は、気持ちをクールダウンさせたい時に聴く。自分の家だけでなく、ライブが終わって東京へと戻る帰りの新幹線でもよく聴くよ。自分の生活に寄り添っているような作品で、いまだに出番は多い1枚だね。俺の場合、気分転換をしたい時に音楽を聴くことが多いんだ。しかも自分がバンドやソロでやっているジャンルとは少し違うものを聴きたくなることが多い。例えば、ザ・ヤングブラッズの『Ride The

Wind』(71年) がそう。自分の表現に近いとギターを弾きたくなっちゃうし、その音楽を研究するモードに入ってしまうのが嫌なんだよね。

『クリムゾン・キングの宮殿』(原題:『In The Court Of The Crimson King』／69年) は、俺にとってブルースを感じる作品。それでいてお洒落さも兼ね備えていると思う。このアルバム・ジャケットは、子供の頃からすごいデザインだなって注目をしていたんだけど、聴き始めたのは、けっこう最近になってからなんだ。基本的にプログレは、なんか肌に合わないから苦手でさ。中でもイエスは大の苦手だったりするんだよ。でも『クリムゾン・キングの宮殿』は、俺の中でブルースだから聴けるんだよね。ピンク・フロイドも、クリムゾンと同じくブルースを感じるからOK。シド・バレットが在籍していた1stの『夜明けの口笛吹き』(原題:『The Piper At The Gates Of Dawn』／67年) は、少し異質な世界観を感じる作品で好きだな。

The Stone Roses
The Stone Roses

Sixty Eight Guns / Pavilion Steps ~ The Alarm

Bandwagonesque
Teenage Fanclub

25 O'Clock
The Dukes of Stratosphear

Marquee Moon
Television

Steve McQueen - **Prefab Sprout**

More Specials
The Specials

Too Much Pressure
The Selecter

Kissing to Be Clever
Culture Club

Quiet Life
Japan

我が心の人生名盤ベスト10

ジ・アラームの「68 Guns」(83年)は、毎週のように遊びに通っていたツバキハウスのイベント『LONDON NITE』で知った。DJの大貫憲章さんがパンクやサイコビリーをかけるんだけど、「ここしかない！」ってタイミングで「68 Guns」をかけるんだよ。するとフロアがものすごく盛り上がるんだ。

俺にとっては「一緒に大暴れしようぜ！」っていうアンセムだね。当時、誰がこの曲を歌っているのかを知りたくて、DJブースまで行ってジャケットを見せてもらったこともある。それでアルバムの『Declaration』(84年)を買うんだけど、そっちの「68 Guns」はロング・バージョンでイマイチだった。納得がいかなかったから、改めてシングル盤を買ったんだよね。当時、20歳。間違いなく、自分の青春時代を代表する1曲だ

よ。"人生のベスト10"に入る作品だね。80歳になって「68 Guns」を聴いたら……たぶん泣いちゃうだろうな。

プリファブ・スプラウトの『Steve McQueen』(85年)も、人生のベスト10に入る大切なアルバム。「When Love Breaks Down」が一番好きだね。夜にウイスキーなんか飲みながら聴くと最高だよ。85年の池袋、新宿、六本木といった東京の景色が目の前に蘇るんだ。この時代を象徴する露骨なリバーブ感がそうさせるのかもしれない。

このレコードがリリースされたのは、俺が21歳の時。まだ青春と言ってもいいあの頃を思い出す、人生のサウンド・トラックだね。

ザ・ストーン・ローゼズの1st『The Stone Roses』(89年)も、人生のベスト10に入るアルバムだよ。たしか発売当時に手に入れたと思う。レトロ感があるんだけど、彼らの場合は表現が洗練されていると感じるんだよね。

80歳になって「68 Guns」を聴いたら……
たぶん泣いちゃうだろうな

Dedication
Bay City Rollers

恋はOK／フー・トールド・ユー
Buster

Now & Then
Carpenters

The Doors
The Doors

Music From Big Pink
The Band

#1 Record
Big Star

Runt. The Ballad of Todd Rundgren
Todd Rundgren

Young Americans
David Bowie

If You're Lonely
Eric Justin Kaz

Leah Kunkel
Leah Kunkel

Atlantic Crossing
Rod Stewart

Ride the Wind
The Youngbloods

Kortchmar
Danny Kortchmar

ストーン・ローゼズの曲を聴いた時は
心から「やられた！」と思った

　例えばギター・エフェクターのファズでも、古くさく感じない新しい使い方をしているんだ。実は俺も同じようなことを考えていた時期だったんだけど、俺がファズを使うと"ザ・1968年"みたいな古くさい音になってしまう。だからこのアルバムで初めてストーン・ローゼズの曲を聴いた時は、心から「やられた！」と思ったね。しかもメンバーと俺は同世代ということもあって、とにかくショックだったんだ。でも、そんな嫉妬心さえも飛び越えて、ものすごく好きになった。2ndアルバムの『Second Coming』（94年）も素晴らしい作品だよ。

　いわゆるマッドチェスター・ムーブメントのバンドでは、ストーン・ローゼズ以外だと、ハッピー・マンデーズが好きだった。でも、それくらいかな。のちにマッドチェスター・ムーブメントはオアシスやブラー、レディオヘッドを始めとするバンドに引き継がれていくけど、それがロックの歴史において最後の良い時代だったように思う。

時代はパンクからポストパンクへ

　77年に始まったパンク・ムーブメントも、83年ごろになると徐々に冷め始めてきた。カルチャー・クラブやデュランデュランといったニュー・ロマンティクスが音楽シーンの主流になり始めた頃だね。

　カルチャー・クラブに関しては、大ヒットした「カーマは気まぐれ」（原題：「Karma Chameleon」／83年）の印象が強い人も多いと思うけど、音楽のトレンドがパンクからニューウェーブに変わっていく時代の中で登場したポストパンク・バンドとして多くの人が注目していた。特に1stアルバムの『Kissing to Be Clever』（82年）は、ポストパンクを語る上で重要な作品だと思う。俺は「また新しいムーブメントが来たぞ！」って感じで、パンクが出てきた時と同じように新鮮な気持ちで聴いていたかな。

ジャパンは3rd『Quiet Life』(79年)で好きになって、そこから1st『Adolescent Sex』(78年)へと遡っていった感じ。デュークス・オブ・ストラトスフィアは、XTCの変名バンド。『25 O'Clock』(85年)ってアルバムがクリームの『カラフル・クリーム』(原題:『Disraeli Gears』／67年)みたいなジャケットでさ、コレクターズのインディーズ盤である『ようこそお花畑とマッシュルーム王国へ』もそうなんだけど……俺、この手のデザインに弱いんだよ(笑)。サイケデリックなアルバムでさ、内容も素晴らしいんだよね。

2トーン・スカも、パンク／ニューウェーブの流れで知ったんだ。スペシャルズの曲はギターでコピーしたよ。マッドネスも好きだし、セレクターはもっと好きだったね。

ヴァン・ヘイレンは、平日の夕方に放送されていたバラエティ番組『ぎんざNOW!』に出演しているのを観たのがきっかけで存在を知った。番組では「You Really Got Me」をやっていて…

…すぐに当て振りだとわかったんだけど、楽曲を聴いてシンプルに「すげえな!」って思ったよ。当時は中学2年で、ちょうどギターを手に入れたばかりの時期だったんだけど、その頃に流行っていたKISSとは明らかに違っていてビックリしたのを覚えている。ものすごくカッコ良かったね。デビュー・アルバムの『炎の導火線』(原題:『Van Halen』／78年)は、今でもしょっちゅう聴くよ。

クイーンとエアロスミスはロックを象徴するようなバンド

リアルタイムで聴いていたエアロスミスの作品は、『Draw the Line』(77年)。1曲目の「Draw the Line」のイントロで聴けるスライド・ギターは、今聴いてもカッコ良い。それにしてもエアロスミスというバンドは、やたら派手で、髪が長くて、誰もが思い描く"正しいロック・スター"って

エアロスミスの『Draw the Line』は存在感やムード、ジャケットのイラストも含めて70年代後半のロック・シーンを象徴するアルバム

Van Halen
Van Halen

叶わぬ賭け／悪魔のハイウェイ
Van Halen

印象がする。このレコードは、作品の存在感やムード、ジャケットに描かれた特徴的なイラストも含めて、70年代後半のロック・シーンを象徴するようなアルバムだと思う。

　クイーンは「We Will Rock You」が収録されている『News of the World』(77年) あたりから、シンプルで分かりやすい方向に表現が変化していったように感じている。俺の中でクイーンは、エアロスミスと同じく"ロックを象徴するバンド"だね。

　この作品がリリースされた77年は、自分がエレキに興味を持ち始めた頃なんだけど、音楽雑誌を読むとジミー・ペイジやジェフ・ベックの名前と一緒に必ずブライアン・メイの名前も載っていた。フレーズもギター・トーンも、ものすごく独特だよね。オンリー・ワンの魅力があるからこそブライアン・メイのフォロワーがあまり出てこないことも頷けるし、それだけ彼がギターで表現していたことはオリジナリティがあって難しいことなんだと思う。俺自身はクイーンのことを深く掘り下げて研究していないけど、もともと好きだったから少なからず影響を受けているように感じるね。

News of the World - Queen

Rocks
Aerosmith

Draw The Line
Aerosmith

Queen II
Queen

Queen
Queen

09

BLUES & JAZZ

日常の中のブルース

自伝『お前のブルースを聴かせてくれ』を始め、俺はいろんなところで"ブルース"という言葉をよく使う。なぜなら俺にとってブルースは、すごく日常的なことだから。音楽のジャンルとかではなくて、自分の感情がちょっと揺れ動くものがあれば、それはブルースなんだ。

例えば、朝に散歩をしていて木々が枯れて秋になってしまった……そんな気持ちで家に帰り、ギターで3弦の12フレットあたりをチョーキングすれば、それだけでもうブルース。自分にとってブルースはそういうものであってほしいし、そうとらえたいと思っている。

B.B.キングが放つ音の桁違いな説得力

音楽ジャンルとして、ブルースの作品はそんなに詳しくないんだけど、なんだかんだでB.B.キングはよく聴いていた。音の説得力が桁違いなんだよね。やっぱりB.B.キングは歌とギターがセットって感じがしている。あの歌に対する合いの手のようなギターという両者の関係性が好きなんだ。

そのほかにもフレディ・キングやマディ・ウォーターズも好きだった。エリック・クラプトンが彼ら

King of the Delta Blues Singers
Robert Johnson

Blues on Top of Blues
B.B.King

からどういう影響を受けたのか知りたかったか
ら、レコードだけでなくライブ映像なんかもよく
観ていた。

　ロバート・ジョンソンは、俺の中で謎のギタリ
スト。いまだにどうやって弾いているのか想像
できないんだよね。『King of the Delta Blues
Singers』(61年)は、嘘か本当かわからないん
だけど……回転数を上げてレコードを再生する
と本当の歌声が聴けるという噂を耳にして買っ
たんだ。実際にやってみたけど、真偽のほどは
よくわからなかったな。

ギタリストにとってトーンは
ボーカリストの歌声と同じだよ

　ジャズは全然詳しくないんだけど、ジョン・コル
トレーンはたまに聴きたくなる。この『A Love
Supreme』(65年)は、ジャケットのデザインで
選んでみた。ケニー・バレルは、高校生の頃に
通っていた"北上GIG"というライブハウスでよく
かかっていた思い出がある。俺にとっては、ジャ
ズ版の懐メロだね。

ブーガルー・ジョー・ジョーンズを知ったきっかけは、ドラマの撮影で神戸に行った時に立ち寄ったジャズ・バーでのこと。店ではずっとジミー・スミスがかかっていたんだけど、ちょっと退屈になってきたからマスターに「良い感じのギター・ジャズを聴かせてくれない?」ってリクエストしたら、ブーガルー・ジョー・ジョーンズをかけてくれたんだ。その時、あまりのカッコ良さにビックリして、すぐにその場で探して『What It Is』(71年)を買ったんだよ。ギタリストにとって、ギター・トーンはボーカリストの歌声と一緒だからね。ブーガルーの出す音は俺の好きな感じだったから、すぐにピンときた。とてもいい出会いだったね。

　スタッフの『More Stuff』(77年)は仲間と一緒に酒を飲んでいる時に聴いて、夏のエアコンに合うと思ったんだよ。特に「And Here You Are」は、夏の夜にエアコンがよく効いた部屋で聴きたいなって思ったんだよね。これも名盤だよ。

　アン・バートンの『雨の日と月曜日は』(原題:『BURTON FOR CERTAIN』／77年)も素晴らしい作品。雨の日じゃなくても聴きたくなる1枚だね。

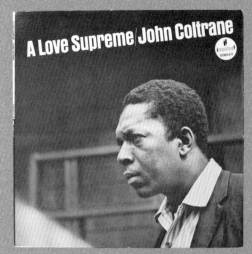

A Love Supreme
John Coltrane

What It Is
Boogaloo Joe Jones

Midnight Blue
Kenny Burrell

Burton For Certain
Ann Burton

More Stuff
Stuff

10

FORK & SSW

シンガーソングライター

アート・ガーファンクルの『Watermark』(77年)は、素晴らしいアルバムだよ。基本的に俺は歌モノのギタリストだから、メロディに合わせてギターを弾くという練習をよくやっていた。このアルバムはジャケットのデザインも好きで、自分のソロ・デビュー30周年で作った『Yesterday, Today&Tomorrow』(2022年) というアルバムのアートワークは、この『Watermark』とニール・ヤングの『On The Beach』を足して2で割ったような感じに仕上げたんだ。

ライ・クーダーは午前中に聴くのがベスト

ライ・クーダーは、なぜか午前中に無性に聴きたくなる時があるんだよ。なんでだろう? たぶん自分の午前中に必要な音なんだろうな。彼はスライド・ギターの名手だけど、俺はなぜか自分でやってみようとは思わなかった。コロナの自粛期間中に、ちょっとスライドに挑戦しようと思って、THE GROOVERSの藤井一彦に相談したら「これから始めるならスライド・バーは小指に付けたほうがいい」とアドバイスされたんだよね。それで練習していい線までいったんだけど、またやらなくなっちゃった。

アコギのスリー・フィンガーも自分ではやらな

い奏法のひとつなんだけど、バート・ヤンシュの『Bert Jansch』(65年)は、聴くと心に刺さるものがある。なんてったってバート・ヤンシュは、ザ・スミスのジョニー・マーの先生だからね。俺はジョニー・マーから大きな影響を受けているから、その師匠筋に当たるバート・ヤンシュも好きなんだと思う。ちなみに指弾きをやらない理由は、俺が生きてきた時代においてロックとフォークはお互いを敵対視していたからなんだ。俺はロック側の人間だったから、フォーク・ソングで使われるような指弾きは、"できちゃダメなもの"だったんだよ(笑)。

ハース・マルティネスの『Hirth From Earth』(75年)は、ロビー・ロバートソンのプロデュース作。超名盤で、名曲の宝庫だよ。レコードがなかなか売ってなかったんだけど、ようやくボロボロの状態のものを見つけて手に入れたんだ。酒にも合う音楽だね。ジェシ・ウィンチェスターがロビー・ロバートソンの全面協力のもと完成させた『Jesse Winchester』(70年)のスワンプ・ロックな世界観も好きだし、その世界に憧れたジョージ・ハリスンの『All Things Must Pass』やデイヴ・メイソンの1st『Alone Together』(70年)なんかも好きだよ。

友人から仕入れる名盤情報

シンガーソングライターで言えば、ニック・ドレイクの『Bryter Layter』(71年)も独特の世界観を持った名盤。1曲目の「Introduction」からグッ

Watermark
Art Garfunkel

On the Beach
Neil Young

Yesterday, Today&Tomorrow
古市コータロー

とくる。ジャクソン・ブラウンは相当好きなんだけど、聴くのは『Late For The Sky』(74年)くらいかな。

ランディ・エデルマンは、素晴らしいシンガーだよね。彼はのちに映画音楽家として大活躍するんだけど、『Prime Cuts』(74年)はシンガーソングライター時代の作品なんだ。こういう名盤に関する情報は、レコード好きの友達と飲んでる時に知ることが多いかな。

キャロル・キングは、昔からずっと好きなシンガーソングライター。彼女の『Tapestry』(71年)は歴史的名盤だよね。実は初来日公演も観に行ってるんだよ。忘れもしない1990年3月、NHKホール。想像以上にパワフルなパフォーマンスだった。彼女は当時48歳だったんだけど、ステージではピアノの上に乗って歌ったりしていたから驚いたよ。すごく印象に残るライブだったね。

ライブの思い出と言えば、俺はなぜか最前列のチケットを当てる確率が高いんだ。本当はうしろでじっくりと観たい派なんだけどね。東京ドームでマイケル・ジャクソンのライブを最前列で観た時には、彼が投げた帽子をキャッチしたこともある。それは横の人にあげたか、係の人に渡したか忘れちゃったけど。

ほかにもスティーリー・ダンやKISS、ローリング・ストーンズも最前列でライブを観ているよ。PINK CLOUDの解散ライブとなった武道館公演も最前列だった。本当にたまたまなんだけどね。

カントリーが好きになったきっかけはエミルー・ハリスのレコードだった

ここ最近はカントリーが好きになったんだけど、そのきっかけはエミルー・ハリスかもしれない。サブスクでたまたま知ってハマり、それでレコードが欲しくなって『Elite Hotel』(75年)を手に入れたんだ。このアルバムには、これぞカントリーな「Amarillo」から「Together Again」のようなしっとりした曲まで幅広く入っているから好きなんだよね。あと、ジャケットで履いているブーツがカッコいい。

2000年以降のアーティストでも、気に入った作品はレコードを買うようにしている。アデルやエイミー・ワインハウスの楽曲は、アナログが似合うと思ったから手に入れたんだ。スネイル・メイルはサブスクで『Lush』(2018年)を聴いて好きになり、次回作はレコードで聴きたいと思っていたので、『Valentine』(2021年)がリリースされたタイミングでレコードを買ったんだよ。

Watermark
Art Garfunkel

Bert Jansch
Bert Jansch

Hirth From Earth
Hirth Martinez

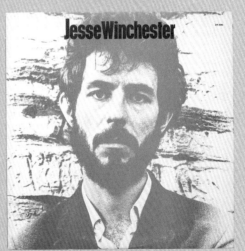

Jesse Winchester
Jesse Winchester

Bryter Layter
Nick Drake

Late For The Sky
Jackson Browne

Prime Cuts
Randy Edelman

Bop Till You Drop
Ry Cooder

Tapestry - **Carole King**

Elite Hotel
Emmylou Harris

30
Adele

Back to Black
Amy Winehouse

Valentine
Snail Mail

11

SOUL & DISCO

ソウルとディスコ

多感な10代を過ごした1970年代中期は、世の中的にソウル・ミュージックの時代でもあった。刑事モノのドラマや映画などで四六時中流れていたからね。そういうわけで、自分の細胞レベルで知っている音楽だから、どうしても体が反応してしまうんだよ。

カーティス・メイフィールドの『Superfly』(72年)は、初めて聴いた時にアレンジのニュアンスも含め、俺の根底に流れているグルーヴとキレイにリンクする"何か"があって、すぐに好きになったね。マーヴィン・ゲイとダイアナ・ロスの『Diana & Marvin』(73年)は「You Are Everything」が好きで買ったんだけど、聴いてみたらすべて良かった。DJをする時によくかけていたよ。ダニー・ハサウェイの『Live』(72年)は名盤中の名盤。いつ聴いてもグッとくる。

今の自分を形成する1978年

スティーヴィー・ワンダーも最高だね。すごく複雑な手法で曲を作っていたりするけど、それをポップに聴かせる手腕がすごい。天才だよ。リアルタイムで聴いていたのは『Songs in the Key of Life』(76年)。シングル・カットされた「愛するデューク」(原題：「Sir Duke」)がいろ

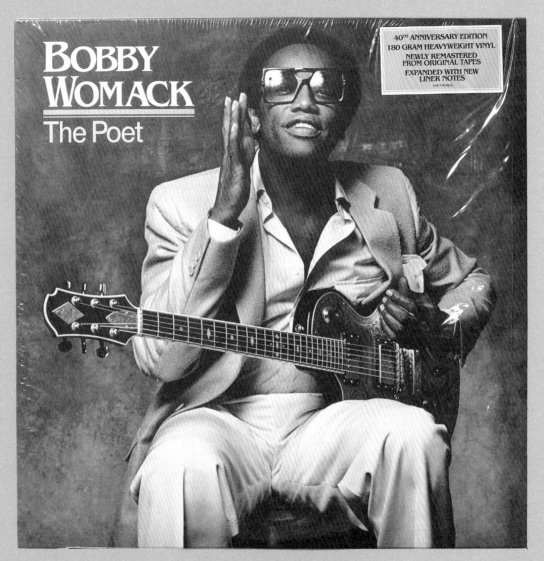

The Poet - **Bobby Womack**

んなところでかかっていたから、あの歌声には馴染みがあったんだ。あと『Talking Book』(72年)に収録されている「Lookin' For Another Pure Love」では、ギター・ソロをジェフ・ベックが担当しているんだけど、めちゃめちゃカッコ良いからぜひ聴いてみてほしい。

ボビー・ウーマックは、歌だけでなくギタリストとしても好き。演奏技術の上手い・下手を超えて素晴らしいよ。『The Poet』(81年)は、サブスクでずっと聴いていて、どうしてもアナログな気持ちになってしまった1枚。ジャケもカッコ良いね。ロバータ・フラックの「Killing Me Softly with His Song」(73年)は、子供の頃にコーヒーのCMソングで聴いたんだけど、あの歌声を聴くと母親の作る料理のような懐の大きさを感じる。心がホッとするんだ。ホイットニー・ヒューストンの『Whitney Houston』(85年)は大ヒットしていたから、どこへ行っても彼女の曲が流れてた。もちろんアルバムとしても素晴らしい。

US盤と国内盤の2枚を持っているんだけど、ジャケットや曲順が違うんだよね。おそらく日本では、水着のほうが売れると思ったんじゃないかな (笑)。

映画『サタデー・ナイト・フィーバー』(77年)のサントラも好きだった。あの頃のディスコ・ブームの盛り上がり方は尋常じゃなかったよ。当時の俺の夏は、朝に「Stayin' Alive」を聴いてから1日が始まるって感じだったからね。ホット・ブラッドの「ソウルドラキュラ」(76年)やアラベスクの「Fly High Little Butterfly」(78年)も、あの時代を思い出す懐メロだね。

改めて振り返ると1978年は、俺にとってものすごく重要な1年だった。永ちゃんの『ゴールドラッシュ』、映画『サタデー・ナイト・フィーバー』の日本公開、Charの『THRILL』。そのすべてが78年に発表されているんだ。今の自分を形成する上で欠かすことのできない重要なものをいろいろと植え付けた時期だったと感じているよ。

1970年代中期はソウル・ミュージックの時代だった
自分の細胞レベルで知っている音楽だから
どうしても体が反応してしまう

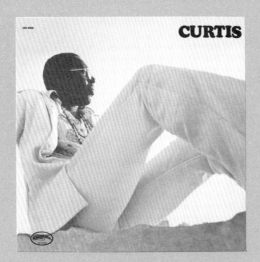

Curtis
Curtis Mayfield

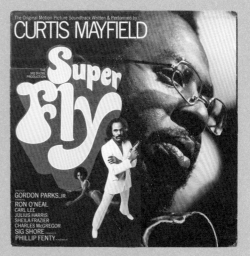

Superfly
Curtis Mayfield

Music of My Mind
Stevie Wonder

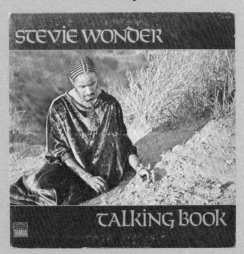

Talking Book
Stevie Wonder

Diana & Marvin
Diana & Marvin

Let Me Be There
Olivia Newton-John

Two of a Kind
John Travolta & Olivia Newton-John

What's Going on
Marvin Gaye

Live
Donny Hathaway

Soul Dracula
Hot Blood

フライハイ／ギブ・イット・アップ
Arabesque

ダンシングシスター／つらい噂
The Nolans

Whitney Houston
Whitney Houston

Whitney Houston
Whitney Houston

Killing Me Softly
Roberta Flack

12

AOR

時代を映す
洗練された音楽

実を言うと、AORは一番好きな音楽ジャンル。その理由のひとつとして、ギター・ミュージックでありながら自分が表現したい音楽とは世界観が異なるので、"自分でやりたいとは思わない"ところ。自分の表現とは無縁でいられるから、純粋に音楽に浸れるんだ。これがブリティッシュ・ロックになってしまうと、同じ好きでも研究モードに入ってしまうからね。単純に音楽を聴いて楽しむという訳にもいかないんだ。

ぜひ紹介したかった
ボズ・スキャッグスの"海パン・ジャケ"

AORのトップは、エアプレイだよ。デイヴィッド・フォスターとジェイ・グレイドンによるユニットなんだけど、彼らが唯一発表した『ロマンティック』（原題：『Airplay』／80年）は、間違いなく自分の人生のベスト10に入る作品だね。

ボビー・コールドウェルも、AORの重要人物。『Bobby Caldwell』（78年）は単純に聴いてて気分が良くなる。ネッド・ドヒニーの『Hard Candy』（76年）もAORを代表する作品だね。ニック・デカロの『Italian Graffiti』（74年）は、AORの夜明け的な扱いなのかな。小粋な感じで、洒落ているよ。

Airplay - **Airplay**

ドナルド・フェイゲンの『The Nightfly』は
アナログ時代に作られた究極の音像だと思う

そもそもAORを好きになったきっかけは、ボズ・スキャッグスなんだ。『Slow Dancer』(74年)は、ボズがAORをやる前の作品で、どちらかというとモータウンやフィリー・ソウルな方向性の1枚。その後、『Silk Degrees』(76年)でAORになってくる感じだね。

この本に掲載する『Slow Dancer』は、通称"海パン・ジャケ"と呼ばれているものなんだけど、このレコードはのちに別のジャケットに差し替えられてしまうんだよ。差し替わったアートワークもすごくカッコ良いんだけど、俺はこの"海パン・ジャケ"のほうが好きだったから、ぜひ紹介したかったんだ。

『Silk Degrees』は、AORを象徴する作品だね。要するに、"洗練されている"ってこと。1976年のタイミングで、このジャケットが世に出てきたのは本当にすごいことなんだよ。ただ当時の時代背景とジャケット・デザインのコントラストを理解していないと、ひょっとしたらカッコ良くは映らないかもしれないけどね。

あと、ボズはもともとギタリストということもあって、どの曲にも、どこか少しだけギタリストとしての残り香があるんだ。そこもまたいいんだよね。以前、ボズのライブを観に行った時、1曲だけギター・ソロを弾いていたんだけど、すごくカッコ良かった。

ちなみに『Silk Degrees』のバック・バンドは、ギタリスト以外がTOTOのメンバーなんだ。だからある意味では、TOTO結成のきっかけになった作品と言ってもいいかもしれない。TOTOのAOR作品で言えば、「Afirica」や「Rosanna」が入っている4枚目の『TOTO IV』(82年)になるんだろうけど、その前の『Turn Back』(81年)にはスティーヴ・ルカサーのギター・キッズ感が出ていてけっこう好きなんだ。

ドナルド・フェイゲンの『The Nightfly』(82年)は、AORのみならず音楽作品の金字塔だよね。これも人生のベスト10入りだよ。歌も曲

Bobby Caldwell
Bobby Caldwell

Hard Candy
Ned Doheny

Italian Graffiti
Nick DeCaro

Slow Dancer - **Boz Scaggs**

Turn Back
TOTO

Silk Degrees
Boz Scaggs

The Nightfly - Donald Fagen

もアレンジも全部が好きで、今でもしょっちゅう聴いている。アナログの時代に作られた究極の音像。この作品でオーディオ機器のサウンド・チェックをするって人が多いのも頷ける話だね。ドナルド・フェイゲンというアーティストの才能が凝縮されている1枚だと思う。

ES-335の使い方が
俺とは正反対なラリー・カールトン

スティーリー・ダンで言えば、『Gaucho』(80年) が一番好きな作品。AORって言ってもいいんだけど、ある意味でミクスチャーとも言えるというか……この魅力を言葉で説明するのは難しいね。ラストの「Third World Man」ではラリー・カールトンがギター・ソロを弾いているんだけど、素晴らしい名演だよ。

そういえば、俺もラリー・カールトンもギブソンES-335を使っているんだけど、使い方が正反対だよね。俺はロックで、カールトンはジャズ。ES-335って、チャック・ベリーが使っていたこともあってロックンロール・ギターのイメージが強いと思う。なのでカールトンが『Singing ／ Playing』(73年) で表現したような335の使い方は、逆に新しかったんじゃないかな。俺はラ

リー・カールトンのようなギターは絶対に弾けないけど、アドリブを弾いている時なんかに"俺なりのラリー・カールトン的アプローチ"がたまに出てきたりする。音楽をやっていて楽しい瞬間のひとつだね。

マーク・ジョーダンの『Blue Desert』(79年) は、晴れた夏の午前中に聴くのがベストだよ。ジャケットも好きだね。ハワイのカラパナの『Kalapana II』(76年) も夏って感じ。セシリオ＆カポノの『Night Music』(77年) もハワイアンAORなんだけど、ボズ・スキャッグスのカバーをやったりしていて、それが良いムードなのよ。隠れた名盤なんじゃないかな。

スターシップの『No Protection』(87年)は、発売当時にレンタル・レコード屋で借りたんだ。レコードを買ったのは最近で、聴いてみたら懐かしい気持ちになった。古い友達に会う感じだよね。

レイ・ケネディの『ロンリー・ガイ』(原題:『Ray Kennedy』／80年) はジャケットがいい。「これぞAOR」って感じのサウンド・プロダクションで、俺は特にスローな曲が好きだね。ちなみに「You Oughta Know By Now」って曲は、八神純子の「パープルタウン ～ You Oughta Know By Now ～」の元ネタだったりするんだよ。

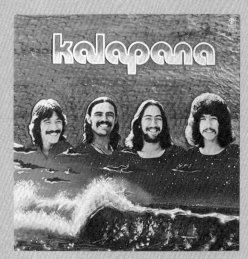

Kalapana II
Kalapana

Night Music
Cecilio & Kapono

No Protection
Starship

Ray Kennedy
Ray Kennedy

Gaucho
Steely Dan

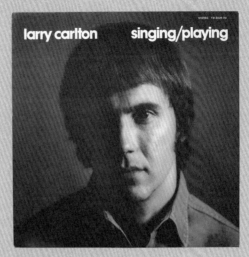

Singing/Playing
Larry Carlton

Blue Desert
Marc Jordan

This Night Won't Last Forever
Bill LaBounty

DOMECTIC

国内名盤

・加山雄三と寺内タケシ
・グループ・サウンズ
・昭和の国内名盤
・シンガー
・シティポップ

Heroes In
My Life

Unraveling the roots of
Kotaro Furuichi

ELECTRIC GUITAR MASTER

加山雄三と寺内タケシ

昭和のエレキ・インストで外せないのが、加山雄三と寺内タケシ。加山さんとは、縁あって2014年に結成したTHE King ALL STARSでご一緒させてもらったんだけど、すごく光栄で素晴らしい経験だった。フェスに出た時、「君といつまでも」を一緒に演奏したんだけど、会場の一体感が凄まじかったね。あんな体験をしたのは初めてだった。

加山さんは俳優や画家としての顔も持っているけど、一緒に音を出してみてわかったことは、圧倒的にミュージシャンであるということ。あの人じゃないと出せない音があるんだ。バンドのリハーサルの時には、コードの使い方など音楽的なことを色々とお話しさせてもらった。すごく懐の深いナチュラルな人柄で、大先輩の素晴らしいバンドマンって印象だね。

寺内タケシさんは、"エレキ"という言葉が似合う人。特に気に入っている作品は、寺内タケシとバニーズの「悪魔のベイビー」(67年)。GSが流行った頃にリリースされたシングル盤なんだけど、「これぞファズ!」って感じの歪んだギター・サウンドが本当にカッコ良いんだよ。俺の中では「悪魔のベイビー」で聴ける寺内さんのファズ・ギターが、ファズ・サウンドの中で一番好きだね。

君といつまでも／夜空の星 - 加山雄三

加山雄三のすべて ～ザ・ランチャーズとともに
加山雄三

加山雄三ベスト40
加山雄三

レッツ・ゴー・シェイク／シェイクNO.1／ライジング・ギター／サウス・ピア
寺内タケシとバニーズ

悪魔のベイビー／ストップ - 寺内タケシとバニーズ

14

GS

グループ・サウンズ

グループ・サウンズ（GS）はもともと好きで、昔からいろんなバンドを聴いていた。数あるバンドの中からザ・ダイナマイツとザ・ゴールデンカップスの2トップとなり、最終的にゴールデンカップスが勝った感じだね。なので一番聴いていたGSバンドはカップス。GSの7インチで、探してまで手に入れたいと思うのは、カップスだけなんだ。ラスト・シングルの「人生は気まぐれ」（71年）や、アルバムの『ザ・ゴールデン・カップス・リサイタル』（69年）といったレコードは、けっこうレアなんじゃないかな。

ゴールデン・カップスに漂う "横浜"のムード

カップスは、バンドの醸し出す雰囲気が好きだった。ほかのGSバンドとは違う独特のムードがあったんだ。特に好きな曲は「長い髪の少女」（68年）のB面に入っている「ジス・バッド・ガール」。大ヒットしたマイナー調のシングル曲のB面に凶暴なガレージ・パンクを入れるっていうのがすごいと思う。アルバムに入っている、「Hey Joe」のカバーもカッコ良い。メンバーのソロも好きで、デイヴ平尾の『横浜ルネッサンス』（83年）、エディ藩の『ネオン・シティ』（82年）、

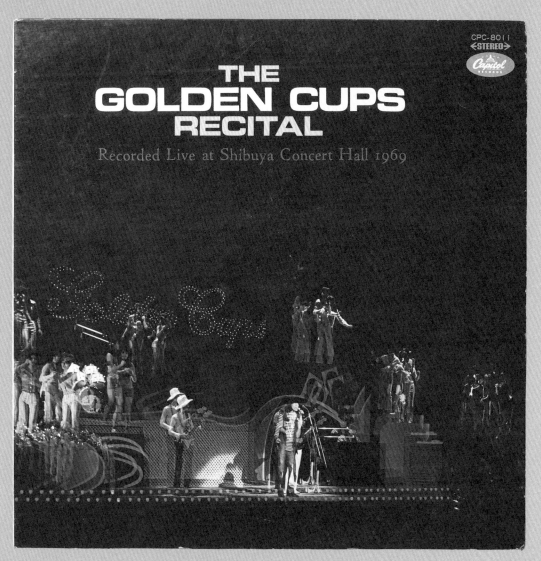

THE
GOLDEN CUPS
RECITAL

Recorded Live at Shibuya Concert Hall 1969

CPC-8011
⟨STEREO⟩

ザ・ゴールデン・カップス・リサイタル - ザ・ゴールデン・カップス

マー坊（ルイズルイス加部）だとJL&CやPINK CLOUDはよく聴いていたよ。

ゴールデンカップスを聴いて感じるのは、すべてをひっくるめて"横浜"としか言いようがないムード。それは陳信輝や柳ジョージがいたパワー・ハウスからも同じ雰囲気を感じる。

幼少期に吹いていた
"東京の風"を感じるザ・ダイナマイツ

それに対してザ・ダイナマイツからは、俺の幼少期に吹いていた"東京の風"を感じるんだ。不思議なものだけど、曲の中に間違いなく"昭和の東京"がパックされていると感じる。ダイナマイツのメンバーのソロだと……やっぱり（山口）冨士夫ちゃんの『ひまつぶし』（74年）は好きだな。この作品はジャケット違いで2枚持っている。俺の中で冨士夫ちゃんはロック・スター。破天荒な人だとは思わないけど、独特の危いムードが

あってカッコ良いよね。

GSバンドの中では、モップスも好きだね。『モップスと16人の仲間』（72年）では、吉田拓郎や忌野清志郎が曲を提供していておもしろい作品だよ。

ザ・タイガースは、そんなに掘り下げて聴いていないんだ。物心がついた頃にはGSブームは終わっていたので、ジュリー（沢田研二）のソロからさかのぼって聴いた感じだね。ジュリーの魅力は、ルックスがいいのはもちろんだけど、なんといっても歌のスキル。ものすごく上手いよね。あと、すごくカッコ良いジャケットがあったから、思わず自分の7インチ・シングルでオマージュしてしまった。ザ・スパイダースも後追いだからあまり聴いてないんだけど、ムッシュ（かまやつひろし）の『あゝ、我が良き友よ』（75年）は好きだった。この曲は世の中的にフォークが流行っていた時代に発表された作品なんだけど、ムッシュは時代の空気をいち早くキャッチしながら活動していたように感じる。

ザ・ダイナマイツの楽曲には
不思議なことに"昭和の東京"がパックされている

魅せられた夜／15の時
沢田研二

Smokers／夏の午後の向こう
古市コータロー

　ザ・テンプターズは、なんといってもショーケン（萩原健一）の歌だね。GSの中にはいろんなジャンルがあって、テンプターズはどちらかというと"クラシカ"って部類に入るバンドなんだけど、曲にちょっと影があっていいんだよ。あと、ショーケンがソロになってからリリースされた「お前に惚れた」(75年)という曲は、バンド時代とは毛色が違っておもしろい。かたやライブ盤の『熱狂雷舞』(79年)はバリバリのロック。この頃のライブは柳ジョージがバックでギターを弾いているんだけど、それがまた良い味を出してるんだ。す

ごく好きで、何度もくり返し聴いたね。

　ショーケンには役者というイメージもあるんだけど、役者のロックと言えば、松田優作の『ハーデスト・デー』(81年)も外せない。ジャケットがすごくカッコ良くてさ。おそらく映画『横浜BJブルース』(81年)の撮影時に撮ったんじゃないかな。このレコードでは、クリエイションがバック・バンドなんだけど、「マリーズ・ララバイ」や「ブラザーズ・ソング」、「天国は遠くの街」では今剛さんがアレンジを担当していて、曲を聴くと"今剛節"を感じられるのもポイントだね。

ブルース・メッセージ／ザ・ゴールデン・カップス・アルバム第3集
ザ・ゴールデン・カップス

蝶は飛ばない／もう一度人生を
ザ・ゴールデン・カップス

本牧ブルース／4グラムの砂
ザ・ゴールデン・カップス

いとしのジザベル／陽はまた昇る
ザ・ゴールデン・カップス

長い髪の少女／ジス・バッド・ガール
ザ・ゴールデン・カップス

愛する君に／クールな恋
ザ・ゴールデン・カップス

ルシール／君は僕に首ったけ～悲しき叫び
ザ・ゴールデン・カップス

人生は気まぐれ／たったいちどの青春
ザ・ゴールデン・カップス

横浜ルネッサンス
デイヴ平尾

Neon City
エディ藩

エレキの若旦那
コータロー＆ザ・ビザールメン

ヤングサウンド R&Bはこれだ！
ザ・ダイナマイツ

ひまつぶし
山口冨士夫

ひまつぶし
山口冨士夫

モップスと16人の仲間
ザ・モップス

Surf Wave Rock "サーフィンミュージックと波の音"
シャープ・ファイヴ

あゝ、我が良き友よ
かまやつひろし

CCC／白夜の騎士 - ザ・タイガース

5-1=0 ザ・テンプターズの世界
ザ・テンプターズ

Monster A Go-Go
V.A.

君をのせて／恋から愛へ
沢田研二

危険なふたり／青い恋人たち
沢田研二

HARDEST DAY
松田優作

ザ・テンプターズ・イン・メンフィス
ザ・テンプターズ

惚れた
萩原健一

熱狂雷舞 － 萩原健一

ムーンシャイン／ルーシー
萩原健一

お前に惚れた／兄貴のブギ
萩原健一

前略おふくろ／酒と泪と男と女
萩原健一

DOMESTIC CLASSICS

15

昭和の国内名盤

誰が俺のことを"昭和研究家"と呼び始めたのかは知らないけど、昭和という時代は自分のベーシックとなる部分だ。一番多感な青春時代を過ごしたのが1970〜80年代だったわけで、古市コータローという人間は完全に昭和で出来上がっている。「令和と昭和のどっちが生きやすいか?」と訊かれたら、俺の場合は圧倒的に昭和だね。単純におおらかな時代だったし、良くも悪くも国民がひとつに固まっていたと思う。ヒット曲にしてもファッションにしても、チャートの1位になった曲や流行した服のことを知らない人はひとりもいないって時代だったからね。

例えばクールスなんかは、音楽のカッコ良さだけでなく"ファッション・アイコン"としてもすごく重要なバンドだと思う。いわゆるリーゼントに革のセットアップというのは相当にイケていたんだ。だからこそ、さまざまな業界のセンスの良い人たちがクールスと一緒にモノづくりをやりたがったんじゃないかな。音楽面で言えば『ニューヨーク・シティ N.Y.』(79年) は山下達郎がプロデュースを手がけているし、ボーカルのピッピ(水口晴幸のニックネーム) のソロ作『BLACK or WHITE』(80年) も達郎プロデュースの名盤なんだよね。ピッピの「愛に、つかれて……」という曲は、自分のソロ・アルバム『東京』(2019年)

New York City, N.Y.
クールス

Black or White
水口晴幸

クールスの世界～黒のロックン・ロール
クールス

ハロー・グッドバイ
クールス

紫のハイウェイ／甘い暴力
クールス

Vienne
BLACK CATS

誘惑
甲斐バンド

世良公則&ツイスト
世良公則&ツイスト

銃爪／cry
世良公則&ツイスト

でもオマージュさせてもらった。クールス好きの人が聴いたら、きっとニヤリとしてもらえると思うよ。70年代の中盤には、原宿に50年代ファッションを取り扱うクリームソーダというショップがオープンするんだけど、そこの店員がやっていたバンドがBLACK CATS。『Vienne』(82年)は、リーゼントをキメてロカビリーやロックンロールをやることがオシャレなものだと一般的に広く浸透させた作品と言えるかもしれない。

　70年代、東京の中で一番人気を集めていた街は新宿だった。その点原宿は今と違って家賃も安かったので、カッコ良くてオシャレなおもしろい人たちがどんどん集まってきた。それが80年代に入ると、クレープが流行り、タレントショップが軒を連ね、子供たちがどんどん増えていった。そこで俺の中での原宿は終わったね。俺の知ってる原宿という街は、どこか閑散としたイメージがあるんだ。民家を無理やり服屋に改造したショップも多かったし、少し路地裏に入ったら普通に布団が干してあったり……そういう生活感が滲み出ているのが良かったんだよね。

昭和という時代では
国民全員が流行りの歌を共有していた

　70年代に活躍していた世良公則&ツイストや甲斐バンドは、今では死語だけど、"演歌ロック"なんて呼ばれていた。俺は演歌も好きだったから、あの世界観は好きだったけどね。井上陽水は「Good,Good-Bye」ってシングルを小学校6年の時に買った。もともとフォークは苦手なんだけど、陽水さんをフォークの人って言い切るのは違う気がする。陽水さんにしか表現できない独特なムードを感じるんだ。今でもよく聴く『スニーカーダンサー』(79年)には高中正義がギターで参加していて、両者のコラボに興味を持って聴いてみたら見事にハマった。ちなみに陽水さんの奥さんである石川セリの『きまぐれ』(77年)は

1970年代の原宿にはカッコよくてオシャレな
おもしろい人たちがどんどん集まってきた

ジャケ買いだね。

　柳ジョージは、歌心のあるブルージィなフレーズが好きだよ。そして歌もいい。柳ジョージ＆レイニーウッドの1stアルバム『Time in Changes』（78年）の帯には"ハマの伝説"ってキャッチコピーが書いてあるんだけど、やっぱり横浜の雰囲気を感じる曲なんだよね。ブレイクするきっかけとなった『Y.O.K.O.H.A.M.A.』（79年）は、今でもよく聴く。以前、柳ジョージさんの弾き語りライブを観たこともあるんだけど、とても素晴らしかった。

　フィンガー5は、流行りの歌謡曲として好きだった。「恋のダイヤル6700」（73年）、「学園天国」（74年）、「個人授業」（73年）とかね。もし俺が高校生くらいの年齢だったら「歌謡曲なんて聴けるかよ」って感じだったかもしれないけど、当時は小学生だったし、国民全員が流行りの歌を共有していたから、まったく抵抗はなかった。そもそもフィンガー5は曲がいいからね。あと、

あきら（玉元晃）のボーカルは天才だよ。以前、自分も参加している『緊急ナイト』というイベントに出演してもらったことがあってさ。俺がハモリ役で「恋のダイヤル6700」を一緒にやったんだけど、本当にうまかった。そのあきらが、「歌はまさお（玉元正男）のほうがうまい」って言っていたのを覚えてるよ。

　歌謡曲つながりで言うと、ペドロ＆カプリシャスの「別れの朝」（71年）は、初代ボーカルの前野曜子が歌ったヒット曲。みんなが知っているペドロ＆カプリシャスは、2代目ボーカルの高橋まりの時なんだろうけど、俺は前野曜子のファンなんだ。彼女のソロ作品も素晴らしいんだよ。

　小坂忠さんの『HORO』（75年）は、曲もボーカルも歌詞もアレンジも素晴らしい。この作品をシティポップに入れるかは難しいところだね。俺の場合、シティポップは音楽全体で聴くんだけど、この作品は歌モノとしてとらえているんだ。『HORO』もそうだけど、小坂さんの楽曲って気

柳ジョージは歌心のある
ブルージィなフレーズが好きだ
そして歌もいい

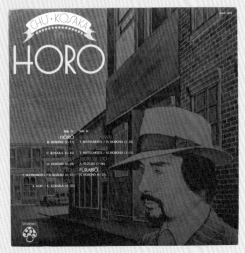

別れの朝／夜のカーニバル
ペドロ&カプリシャス

HORO
小坂忠

がつくと自分の気持ちが歌に持って行かれてしまうんだよね。それくらい歌に聴き惚れてしまうんだよ。

『がきデカ』のシングル盤（葡萄畑「恐怖のこまわり君」／75年）は、たまたま通りがかったレコード屋で見つけて、懐かしい気持ちになって思わず買ってしまった。漫画が連載されていた70年代後半の『少年チャンピオン』って、小学生の中で「読んでなきゃヤバい」というムードがあったんだ。その中で『がきデカ』は、『天才バカボン』とは違う、圧倒的に新しいギャグ漫画だった

んだよね。「およげ!たいやきくん」（75年）のシングルは、発売当時に買ったもの。昔は、有名なミュージシャンが新作を発売するとデパートのレコード屋がビルの入り口まで出てきてワゴンで手売りしていたんだけど、「およげ!たいやきくん」もまさに同じだった。友達と話していて「え？　お前んち『およげ!たいやきくん』ないの?」って感じでさ、持ってないと恥だったんだよ。そういう現象はたまに起こるんだよね。その最後になったのは宇多田ヒカルの『First Love』（99年）だったと俺は思うんだけど。

Y.O.K.O.H.A.M.A.
柳ジョージ＆レイニーウッド

タイム・イン・チェンジズ
柳ジョージ＆レイニーウッド

スニーカーダンサー
井上陽水

気まぐれ
石川セリ

学園天国／フィンガー 5 のテーマ
フィンガー 5

恋のダイヤル6700／初めてのクラス会
フィンガー 5

恋のアメリカンフットボール／おませなデート
フィンガー 5

ぼくの好きな歌
あきら

ウエルカム・プラスチックス
プラスチックス

Normal
一風堂

恐怖のこまわり君／スジ子のブルース - 葡萄畑

可愛いぜ／流れ星のブルース
岩城滉一

さらば愛しき女よ
内田裕也

また逢う日まで／帰郷
尾崎紀世彦

黒船
サディスティック・ミカ・バンド

ガンダーラ／セレブレイション
ゴダイゴ

およげ！たいやきくん／いっぽんでもニンジン - 子門真人／なぎら健壱

美しい季節／恋はサーカス
ザ・ジャネット

色あせた季節／見つめないでくれ
ハリマオ

赤頭巾ちゃん御用心／恋のピエロ
レイジー

16

SINGER

シンガー

松田聖子のレコードは何枚も持っているんだけど、その中から『ユートピア』(83年)を選んだのは、俺の好きな「セイシェルの夕陽」が入っているから。この曲は素晴らしいAORだよ。歌声が本当にいいんだ。

アン・ルイスの『PINK PUSSY CAT』(79年)は、山下達郎プロデュースのアルバム。ロックというよりも時代を先どった歌謡曲って印象だよ。ジャケット・デザインは、"原宿クリームソーダ直撃!"って感じがして、あの時代のセンスが投影されていると思う。ほかの作品だと、Charがプロデュースを手がけた『HEAVY MOON』(83年)も好きだよ。

和モノの定義

筒美京平が作曲を手がけた岩崎宏美の「センチメンタル」(75年)は、早すぎた「恋するフォーチュンクッキー」(AKB48／2014年)って感じの1曲。自分がDJをやる時は大抵かけるし、弾き語りでも何度かカバーしたことがあるよ。無条件でハッピーになれる曲だね。

津々井まりの「人魚の恋」(70年)は完全に"和モノ"として聴いている。ドスの効いた歌声でさ、ギターも味があっていいんだよ。まさに昭

ユートピア
松田聖子

PINK PUSSY CAT
アン・ルイス

センチメンタル／そうなのよ
岩崎宏美

人魚の恋／悪なあなた
津々井まり

和のパチンコ屋に似合う音楽だと思う。和田アキ子も同じく"和モノ"だね。「放浪・ヨコスカ」(75年)や『和田アキ子 オン・ステージ』(70年)はジャケもカッコ良い。和田アキ子は、『夜のヒットスタジオ』でよく観ていたよ。76年に歌っていた「雨のサタデー」という曲も、テレビでよく観ていたから好きだった。

しばたはつみの『シンガーレディ』(75年)は、『ルパン三世』シリーズの作曲家である大野雄二とのコラボ曲。管楽器をフィーチャーしたグルーヴィなファンク・ナンバーなんだけど、アルバムとしてはルパンの裏サントラ盤的なニュアンスもあって、それがなんともたまらんのよ。

何を持って"和モノ"と定義するのかは難しいんだけど、俺の場合、極端に言えば"昭和40年代の曲"……つまり1974年までにリリースされた曲を"和モノ"って感じでとらえている。フィンガー5を和モノという人もいるけど、リアルタイムで聴いていた俺からすると、歌謡曲って印象のほうが強い。ひょっとしたら後追いで再評価された作品が"和モノ"って呼ばれているのかもしれないね。

ちなみに俺の1stソロ・アルバム『The many moods of KOTARO』(92年)は、実を言うと"和モノ"をやろうとした作品なんだ。当時"和モノ"なんて言葉はなかったけど、改めて聴き返してみると自分なりに堺正章の「さらば恋人」をやりたかったんだろうな、なんて感じる曲もあって、自分でも納得できるんだよね。

幼少期の風景を思い出す
ユーミンのレコード

梶芽衣子は、歌がいい。池袋の映画館で"梶芽衣子特集"があった時、上映の合間にずっと彼女の歌が流れていて。その中でも特に「恨み節」(72年)が好きだったから、レコードを買ったんだ。

極端に言えば、1974年までにリリースされた曲を "和モノ"という感じでとらえている

和田アキ子・オン・ステージ
和田アキ子

放浪・ヨコスカ／流れ星
和田アキ子

MISSLIM
荒井由実

YUMING BRAND
荒井由実

ひょっとしたら俺は"横浜"という
キーワードに弱いのかもしれないね

　荒井由実の『YUMING BRAND』(76年) には、ちょっと特別な思い入れがある。俺の実家は76年から喫茶店をやっていたんだけど、オープンしたばかりの頃、店でずっとこのアルバムをかけていたんだよ。俺は当時、小学生だったんだけど、とにかくユーミンの歌ばかり聴いていた。『MISSLIM』(74年) だと「生まれた街で」が特に好きだね。

パチンコの景品で手に入れた
シングル版のレコード

　ピンク・レディーの『星から来た二人』(78年) は、俺の中ではビートルズの『Sgt. Pepper's Lonely Hearts Club Band』(67年) と並ぶコンセプト・アルバム (笑)。コマーシャル・ソングのようにキャッチーな「2001年愛の詩」も入っているんだけど、普通のアルバムよりちょっとだけ深みがある気がしたんだ。ちなみに俺はミーちゃ

ん派だったね。

　山口百恵も好きだった。彼女が活躍していた当時を思い出すと、全国民が百恵ちゃんのことを好きになるように仕組まれていたように感じる。「白い約束」(75年) のシングルは、パチンコの景品で手に入れたんじゃないかな。フィンガー5のシングルもそうだった。パチンコは小学生の頃からおふくろの隣に座ってよくやっていたんだ。それを怒る人なんて誰もいなかったからね。

　石黒ケイの『YOKOHAMA RAGTIME』(82年) は、最近手に入れた1枚。ひょっとしたら俺は横浜ってキーワードに弱いのかもしれないね。歌に何度も「第3京浜」って出てくる「Driving Crazy 〜第3京浜」はグッとくるよ。尾崎亜美の「マイ・ピュア・レディ」(77年) は、資生堂のCMソングで知ったんだ。小林麻美が出演していたCMも含めてすごく好きだった。俺の中では"春"を感じる曲だね。

星から来た二人 - ピンク・レディー

シンガーレディ - しばたはつみ

Heroes In My Life - DOMECTIC

ゴールデン・ハーフのバナナ・ボート／レモンのキッス
ゴールデンハーフ

恨み節／女の呪文
梶芽衣子

マイ・ピュア・レディ／私は何色
尾崎亜美

YOKOHAMA RAGTIME
石黒ケイ

めまい／男の部屋
辺見マリ

白い約束／山鳩
山口百恵

CITY POP

シティ・ポップ

山下達郎の作品の中で一番よく聴いているのが『RIDE ON TIME』(80年)で、その次は『BIG WAVE』(84年)かな。『BIG WAVE』の素晴らしさは、なんといってもサウンド・プロダクション。楽曲の中でのコーラスの支配力が圧倒的すぎて、すごいとしか言いようがない。あと『RIDE ON TIME』は、「夏への扉」からB面がスタートするんだけど、そこに至る曲順の流れが完璧だと思う。

山下達郎の素晴らしき
サウンド・プロダクション

実は達郎さんって、俺が通っていた中学校の先輩なんだよ。以前、達郎さんがラジオでコレクターズの曲をかけてくれた時に、「ギターの人は私の後輩みたいですね」って話をしてくれたみたい。そういえば、俺が2023年に出したカバー・シングルの「子供たちの子供たちの子供たちへ」(ピチカート・ファイヴ／97年)のB面で、達郎さんが作曲したアン・ルイスの「シャンプー」(79年)をカバーさせてもらった。女歌だと思うんだけど、新鮮な気持ちで歌えたね。しかも、うれしいことに達郎さんのファンクラブ会報誌で紹介してくれたんだよ。

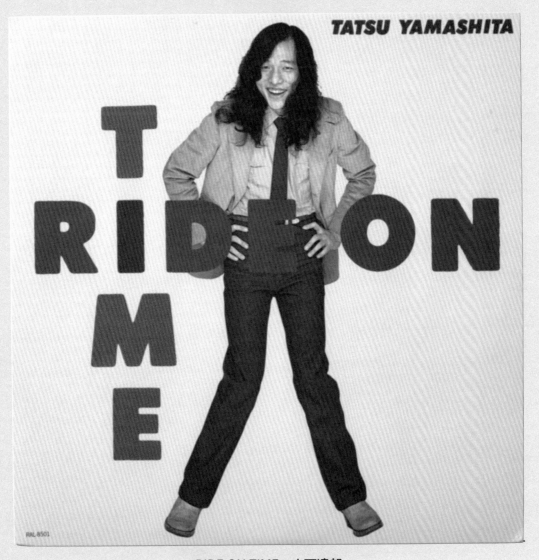

RIDE ON TIME - 山下達郎

Reflections
寺尾聰

TAKANAKA
高中正義

Make Me A Star
ザ・スクエア

イエロー・マジック・オーケストラ
イエロー・マジック・オーケストラ

松原みきは大好きなシンガーで、彼女の代表曲である「真夜中のドア〜 Stay With Me」は、シングル・バージョンよりもアルバム（『POCKET PARK』／ 80年）のほうが好きだね。

ここ数年、シティ・ポップがリバイバル・ヒットしていて、そこで改めて「ああ、俺はシティ・ポップが好きだったんだな」って再確認した感じはある。

一家に1枚必要だった
寺尾聰の『Reflections』

寺尾聰の『Reflections』（81年）も、一家に1枚って感じで、「持ってないとヤバい」ってムードがあった。

発売された当時は、レコード会社の人が『Reflections』のレコードを持って歩いていると、ショップの店員から「ウチに入れてくれ！」って奪われてしまうという噂を聞いたことがある。この作品は、派手さはないんだけど、洗練されているところが何よりの魅力だね。それでいて、ちょっと水っぽい"夜の世界"を感じさせる歌謡曲の要素もある。そんな作品、売れるに決まってるよ。

THE SQUAREの『Make Me A Star』（79年）はジャケ買いした1枚。夏に面出しで飾りたいと思って手に入れた。シンプルにナイスなインスト・アルバムだね。聴いているうちにどんどん好きになっていった。「I Will Sing a Lullaby」は、昔から知っているわけでもないのに、どこか懐かしいって感じがする。俺にとって懐メロ的な側面がある曲なのかもしれないね。高中正義の『TAKANAKA』（77年）も夏に聴きたい1枚。特に「I Remember You」が好きだよ。

YMOを聴くと1978年の
東京の匂いを思い出す

YMOの1stアルバム『イエロー・マジック・オーケストラ』（78年）はオリジナル盤とUS盤でミックスが違うんだけど、俺は"東京ミックス"と呼ばれるオリジナル盤のほうが好き。世の中がまだアナログだった時代に、あの電子音。リリースされた78年には、アーケードゲーム機のスペースインベーダーが世の中に登場するんだけど、ゲームセンターで遊んでいた時の記憶とYMOの音が交差して、この作品を聴くと当時の東京の匂いを思い出すんだ。YMOを聴いて自分の中から懐かしいという感情が湧き起こるのは、そういう思い出と音楽が密接にリンクしているからかもしれないね。

真夜中のドア／そうして私が - 松原みき

—Cupid—
松原みき

Myself
松原みき

POCKET PARK
松原みき

彩
松原みき

TREASURE

大切なもの

・ブルース・リーとサウンドトラック
・ファッション

Heroes In
My Life

the making the roots of
Kotaro Furuichi

18

MY HEROES

ブルース・リー＆サウンドトラック

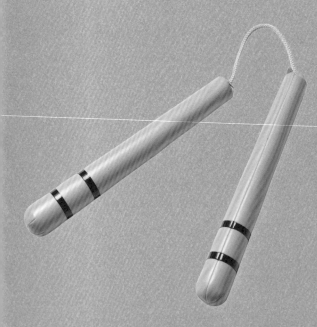

ブルース・リーは、俺にとって特別なヒーローなんだ。初めて観た衝撃は、ものすごく大きかった。あれは忘れもしない小学3年の時だね。映画『燃えよドラゴン』(73年)を観に行ったんだ。それはもう……ショックだったね。ヴァン・ヘイレンどころじゃなかった。パンクとの出会いも超えているよ。これまで出会ってきたあらゆる出来事の中で、ブルース・リーとの出会いが一番ショックだった。

人生最大のショックだった
ブルース・リーとの出会い

なぜならロックンロールやパンクは「俺もやってみよう！」って思うことができたけど、ブルース・リーのアクションは「俺もやろう！」となる世界ではなかったから。とにかく、すべてにおいて観たことがないものだった。

例えば『ウルトラマン』や『ウルトラセブン』は、体が大きくなって怪獣を倒す姿に心が躍った。『仮面ライダー』は、人間と同じ大きさのヒーローがバイクに乗って敵と戦うってところに衝撃を受けた。でもブルース・リーは自分と同じ人間なのに、考えられないほど素早い動きで敵と戦っていて、そのカッコ良さに心の底から驚い

Theme From Enter The Dragon - Lalo Schifrin

吼えろ！ドラゴン／ギャンブリン・マン
Carl Douglas

ブルース リー自身が語った「私の武道哲学」
V.A.

Theme From The Green Hornet / To Be A Man
V.A.

た。当時ブルース・リーを観た連中は、みんな俺と同じ気持ちだったんじゃないかな。俺も一生懸命ヌンチャクの練習に励んだよ。今、使っているヌンチャク（P144）は、ニッキ（錦織一清）がプレゼントしてくれた手作り製。完璧なブルース・リー仕様になっているんだ。ブルース・リーの映画は今でもしょっちゅう観返すし、何度観てもおもしろい。初めて映画を観た時に受けた衝撃は、今もずっと俺の中に残っている。

グッド・ミュージックとして楽しむ
名作映画のサウンドトラック

　映画やドラマのサウンドトラックは、シンプルに"良い音楽"として楽しんでいるかな。『バットマン』は子供の頃にドラマを観ていたんだけど、ここで紹介しているサントラに関しては、聴くというよりもレコードで持っていたいという1枚。

　「ジョーズ」（75年）は、たぶんパチンコ屋の景品でもらったんだと思う。こういうのは、"買う案件"じゃないからね（笑）。「エマニエル夫人」（74年）のサントラは、最近手に入れた。映画が公開された時、俺はまだ小学生だったけど、世間の騒がれ方はすごかったよ。

Batman (Exclusive Original Television
Soundtrack Album) - V.A.

Jaws - V.A.

エマニエル夫人 - V.A.

19

FASHION

ファッション

ファッションには、子供の頃から興味があった。お袋がデザイナーで、父親も『装苑』の副編集長をやっていたことの影響もあると思う。俺が「こんな感じの服が欲しい」と母親に言ったら「VANのボーイズにあるから、西武デパートへ買いに行こう」って一緒に探しに行ったこともあった。普段の日常生活の中で、ファッションの話をすることが多かったんだ。

履くことで背伸びできる気がした
イケてるアイテム=ジーパン

初めて自分で買って嬉しかった服はジーパンかな。ジーパンはイケてるアイテムだったから、履くことで少し背伸びができる気がしたんだ。ちなみにジーパンのエイジングも早くからやっていた。1975年のEDWINのCMで、男の人がバスタブの中でジーパンを洗っているんだけど、俺も風呂に入りながらジーパンをタワシでこすったりしていたよ。ここ最近の夏は、ハーフカットしたジーパンをよく履いている。一番古いのは80年代のものだね。あとフルカウントというレプリカ・ブランドのジーンズも気に入っていて。90年代に流行ったんだけど、本物に負けず劣らずカッコ良いんだよ。

The Rolling Stones × Hysteric Glamour
XL Suitcase

ジーパンの裾上げは絶対にしなかった
「丈ツメをするなら買うな」が俺のルールだった

　リーバイスは2本。基本的に501や505といった定番が好きなんだけど、90年代の終わりに買った517も大切に履き続けているよ。他にも2010年以降に復刻されたUSAメイドの606も気に入っている。

　606はポール・ウェラーも履いてたね。昔はジーパンの履き方にもこだわりがあった。例えば「ストレッチ生地のものはジーパンとは認めない！」なんて思っていた時もあった。でも、歳をとるとラクなほうが良くなってきて、今はストレッチ素材もウェルカムだよ（笑）。

　あとジーパンに関しては、絶対に裾上げはしないようにしていた。「丈ツメするなら買うな」っていうのが俺のルールだった。当時は丈ツメの処理をするとシングルステッチになってしまうし、裾幅も太くなるからカッコ悪かったんだ。ただ、切りっぱなしは好きだったから、そのまま裾を自分で切っちゃうことはあったね。

　服のこだわりと言えば、以前は3月になったら絶対にダウンジャケットやコートを着なかった。でも今は4月でも寒かったら着る。そういう考え方の変化には……柔軟に向き合っていきたいよね。

Tシャツに関しては
その日の気分で選んでいる

　Tシャツに関しては、その日の気分で着るものを選んでいる感じ。レコードのセレクトと一緒だよ。別に集めているわけでもないんだけど、気がついたらたくさん溜まっていた感じだね。

　一番古いのは、グレイトフル・デッドのラグランTシャツ。かなり痛んできたんだけど、どうしても捨てられない1枚なんだ。俺は数年に一度の周期で、レコードや服なんかをまとめて処分するんだけど、コイツは何十回もの断捨離で処分される危機を乗り越えてきてるよ。

　欲しいものは探し回ることもあるんだけど、今

はインターネットがあるから楽だよね。

　ただ、どれだけ探しても売っていなかった場合、自分で着るためだけに作ってしまうこともある。『ONE STEP FESTIVAL』のTシャツもその中のひとつ。1974年に福島県郡山で開催されたロック・フェスティバルのTシャツなんだけど、昔は雑誌の白黒写真でしか見たことがなかったんだ。でも、最近になってカラー写真を見たら、ロゴの文字がグリーンってことが判明して。それで自分が着るためだけに作ってみたんだ。

　ゴールデン・カップスの"マー坊Tシャツ"もそうだね。若い頃のアーティスト写真を元にしてるんだけど、そのデータが入手できるわけもないから、友達に絵で描いてもらって作ったんだ。

　地元・目白の老舗つけ麺屋『丸長』のTシャツもオリジナルだよ。あの店は自分にとってのソウルフードなんだ。なんせ50年以上通っているからね。「オリジナルTシャツなんて絶対にやらない」って噂を聞いてたけど、俺がDUST AND ROCKSという古着屋をやっていた時に、うちのスタッフがダメもとで「Tシャツを作らせてもらえませんか?」ってお願いしたらOKしてくれて。それでしばらくウチの店で販売していたんだ。その話を聞いた丸長の常連さんも買いに来てくれたね。

身に付けるアイテムが
自分の好みになるように
いろんなことを試した

　昔から俺は、服を買うことに圧倒的にお金を使っていた。一目惚れで買うこともあれば、欲しいものを求めて東京中を探し回ることもけっこうあった。

　例えば街で見かけた人がカッコ良いビーチサンダルを履いていたら、同じようなものを探して手に入れたりもした。そうやって手に入れたビーサンは、新品を履いているのは恥ずかしいってこ

昔から服を買うことには
圧倒的にお金を使ってきた
欲しいものを求めて東京中を探し回ることもあった

Heroes In My Life - TREASURE

とで、わざと道路に放置してダンプカーに轢かせることでエイジングしていたよ。身に付けるものが、より自分の好みのアイテムになるようにいろんなことを試したんだ。

楽器にもお金は使うけど、そっちのほうはあえてローンを組んでいた。若い頃は「男は借金に追われてないとダメだ」と考えていた時期もあったから、無理やりローンを組んでいたんだよね。今思えば謎だよね（笑）。

自分に似合う服を着ることが大切
毎日着ていれば必ず似合ってくるよ

服と音楽ってさ、ギターとピックの関係と同じようにセットなんだ。もちろん誰がどんな服を着ていてもいいんだけど、お洒落だなって感じる人が弾くギターのほうが個人的には好きなんだよね。もしも洋服に興味がなくても、自分に似合う服を見つけることは大切なことだと思う。例え人から似合わないなんて言われても、気にしないことだね。最初は小っ恥ずかしくても、毎日着ていれば必ず似合ってくるはずだよ。

気に入っているダウンジャケットは、極寒冷地に対応した"レベル7"仕様の軍モノ。ハッピージャケットと呼ばれるもので、これさえあれば冬は余裕だよ。

革ジャンはNUMBER (N)INE。けっこう前から着ていて、革は2回ほど染め直している。もう限界が近いんだけど、これが好きなんだよね。革ジャンに関しては、ボロボロのものを着ていてもカッコいいと思うんだ。

キースの影響で身に付け始めた
シルバー・アクセサリー

アクセサリーは、完全にキース・リチャーズの影響だね。ずっと右手の薬指に付けているスカル・リングは、コレクターズが35周年を迎えた時に友人であるSoloistのデザイナーで元NUMBER (N)INEの宮下貴裕さんが作ってくれたもの。このリングで2代目だね。ギターを弾く時に気にならない絶妙な重量になっているんだ。

サングラスは、自分のオリジナル・モデルを含めてかなりの本数を持っているんだけど、外出する時やバイクに乗る時など、その日の気分で使い分けている。俺はもともと視力がいいから、メガネには憧れていたんだよね。それで気がついたらこれだけの本数に増えてしまった感じなんだ。Tシャツと同じで、ピンとくるサングラスを見つけると思わず買ってしまうんだよね。

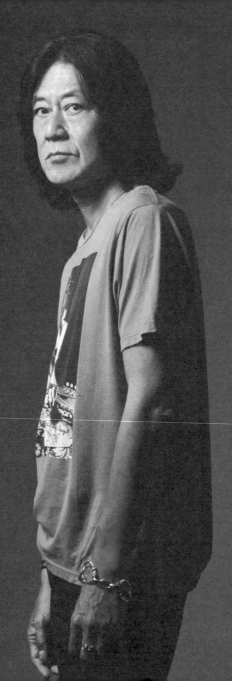

Heroes In
My Life

Unraveling the roots of
Kotaro Furuichi

POSTSCRIPT
あとがき

　この本には、自分にとって大切な"宝物"が数多く掲載されている。誌面に掲載されているバラエティに富んだ数百枚のレコードや自分が大切にしているアイテムを眺めていると、「俺はこうだな」としか言いようがないラインナップだと思ったし、ギタリストとして、ミュージシャンとして、ひとりの男として、この本に掲載されている作品たちに大きく影響されて"古市コータロー"という人間が構成されていると改めて深く認識することができた。それくらい自分の頭の中を覗き見したような不思議な感覚になったね。

　音楽、ファッション、映画、本、昭和、1960年代……昔からさまざまなものに興味があった。雑食とでもいうのかな……自分が気になるいろんな音楽をひたすらチェックしていたら、そうこうしているうちにノージャンルの男になった。そんな感じで好きになったものが、子供の頃から今に至るまでまったく変わっていないところに自分でも少し呆れたし……逆に"ずっと変わっていない"ことが自分にとってすごくうれしくもあった。

　この本が、あなたの知らない素晴らしい音楽と出会うきっかけになってくれたらとてもうれしいです。レコード・ショップに行って同じタイトルを探してみたり、気になる作品をチェックしてみるのも楽しいと思うよ。あなたの一部になっている音楽もきっと最高なんだろうね。

　かつてのレーベル・メイトであり、ロックンロールをこよなく愛した大切な仲間でもあるチバユウスケに感謝を込めて。

Heroes In My Life

2024年3月30日　第1版第1刷発行

著者	古市コータロー
発行者	加藤一陽、尾藤雅哉
発行所	株式会社ソウ・スウィート・パブリッシング 〒154-0023 東京都世田谷区若林2-30-5-3 TEL·FAX:03-4500-9691
担当編集	尾藤雅哉
装丁·デザイン·DTP	一ノ瀬雄太
撮影	西槇太一
協力	杉山律子 (図書印刷株式会社) 辻昌志 星野俊 Delta House Studio
印刷·製本	図書印刷株式会社 Printed in Japan